D0766211

# LES NOCES SECRÈTES

*Derniers romans parus dans la collection Modes de Paris :*

A LA FOLIE MORGAN
par Janet Kebbell

LA ROUTE DANGEREUSE
par Hillary Waugh

L'HOMME D'AMSTERDAM
par Brenda Castle

L'ENCLOS DES GAZELLES
par Christina Laffeaty

L'AUBERGE DU CHEVREUIL D'OR
par Barbara Bonham

LE DRAGON CHINOIS
par Nancy Buckingham

LES GAGNANTS
par Judy Gardiner

LA MAISON DEBORAH
par Peggy Wrightson

LE PAPYRUS DE POMPEI
par Jacqueline La Tourrette

PENDANT LA FIESTA
par Evelyn Charles

LA CRIQUE DU SILENCE
par Rachel Cosgrove Payes

L'HERITIERE DE WINSTON PARK
par Sarah Farrant

*A paraître prochainement :*

LE VAUTOUR DE TRES RIOS
par Daoma Winston

Hilary FORD

# LES NOCES SECRÈTES

(*Castle Malindine*)

ROMAN

LES EDITIONS MONDIALES
2, rue des Italiens — PARIS-9e

ISBN N° 2-7074-4104-X

## CHAPITRE PREMIER

Fin avril, par une belle matinée, Bella — Arabella Harley — était seule dans la maison, en dehors des domestiques, Hilda, la femme de chambre, qui chantait en retournant les lits à l'étage, et Millie, qui faisait entendre des bruits de casseroles dans la cuisine au sous-sol. Le soleil brillait entre les nuages, illuminant le jardin et, plus loin, le panorama de Streatham Common. Après la pluie du petit matin, la terre humide fumait littéralement. Les arbres bourgeonnaient, et un bouvreuil sautillait d'une branche à l'autre d'un pommier Keswick, picorant les pousses délicates.

Bella claqua des mains pour faire partir l'oiseau ; en vain. Agacée, la jeune fille gagna la porte de service ; le temps qu'elle s'approchât de l'arbre, l'oiseau s'était envolé.

Comme c'était agréable d'être au grand air, environnée de ces senteurs du printemps ! Elle avait peu d'occupations dans cette maison ; c'était un des désavantages qu'elle avait découverts depuis qu'elle était venue s'y installer avec son père. Tante Harriet — Bella l'appelait ainsi, bien que ce ne fût que la sœur adoptive de son père — tirait une certaine vanité de ses compétences ménagères, si bien que Bella se trouvait tristement désœuvrée. Pour l'heure, Harriet était sortie faire des courses sans avoir prié Bella de l'accompagner. C'était mieux ainsi d'ailleurs, car Bella n'aurait servi à rien dans ces pérégrinations ; de plus, elle s'habituait mal à l'attitude agressive et exigeante de sa tante à l'égard des commerçants.

Ce comportement d'Harriet venait probablement de ce que son mari et ses fils étaient eux-mêmes commerçants, dans un magasin à l'enseigne de *Jos, Benson et Fils, Tailleurs-Confectionneurs,* à l'autre bout de High Street.

Le père de Bella était parti pour Londres par un train matinal, afin de régler quelques affaires.

Tout en flânant au soleil dans le jardin, elle s'autorisa à se rappeler le jardin de leur maison d'Oxford et le charme de leur existence là-bas. Elle n'avait que quinze ans lors de la mort de sa mère, mais elle était vraiment devenue la maîtresse de céans, et elle l'était restée durant les cinq années suivantes, jusqu'à ce que son père eût été contraint, par des revers de fortune, à vendre la propriété.

Considérant qu'il ne menait à rien de ruminer sur des histoires passées et terminées, elle chercha un moyen de se distraire. Son attention se porta sur un bouquet de lilas blanc, au fond du jardin. Bella s'apprêtait à aller prendre un sécateur dans la remise quand on l'interpella :

— Mademoiselle Bella !

C'était Hilda, qui se dressait dans l'encadrement de la porte de service.

— Qu'y a-t-il ? s'enquit la jeune fille en remontant le sentier.

— Un monsieur est là, mademoiselle.

Hilda tira de la poche de son tablier une carte de

visite mentionnant : *A. Perkins Esq. Conseiller financier*, avec une adresse à Londres. Sans doute quelqu'un qui voulait voir son oncle et qu'il faudrait aiguiller sur le magasin, se dit la jeune fille qui déclara :

— Introduisez-le dans le salon, Hilda, je vais le recevoir.

Bien qu'il ne fût pas là pour elle, le visiteur pouvait être jeune et beau, mettant une touche de saveur dans une journée quelque peu insipide. Ce nom de Perkins n'avait évidemment rien d'alléchant, mais, à y réfléchir, le prénom d'Arabella — que l'on avait réduit à Bella, par affection ou par commodité — ne permettait pas à la jeune fille de s'arrêter à pareil détail.

A première vue, le sieur A. Perkins étouffait tout espoir. Il était en train d'étudier l'un des chandeliers d'argent appartenant à Harriet et il le posa sur le piano quand il entendit entrer Bella. La quarantaine, le cheveu noir, maigre et laid sans être sympathique, il esquissa un vague salut.

— Alfred Perkins, madame, pour vous servir. Suis-je bien dans la résidence de monsieur Patrick Harley ?

Agacée par la désinvolture avec laquelle il avait manipulé le chandelier, Bella répliqua fraîchement :

— Monsieur Harley est mon père. Nous habitons actuellement ici, mais c'est la maison de mon oncle, monsieur Benson.

— Pourvu que je sois à la bonne adresse... C'est à votre père que j'aimerais dire deux mots.

— Il est à Londres pour affaires.

— Vraiment ? persifla l'homme. Moi, j'étais venu de Londres pour le voir. Et j'ai eu assez de mal à obtenir son adresse ! Ah ! ce n'est pas facile de lui mettre la main dessus ! Je suppose que, si je me présente à nouveau, j'apprendrai qu'il est encore absent, et ce sera une autre journée gâchée, sans parler des frais et des semelles de chaussures usées.

Décidément, son comportement était encore plus déplaisant que son physique. Le mieux était de le faire reconduire à la porte par Hilda. D'autre part, il n'avait certainement pas menti en prétendant être en affaires avec le père de Bella.

Perkins résolut le problème de lui-même :

— Vous lui remettrez ma carte dès son retour. Dites-lui que je compte le voir *très bientôt* à cette adresse. Un homme qui emprunte de l'argent se doit de le restituer avec l'intérêt convenable sans avoir à se faire prier. Prévenez-le qu'il devra me régler d'ici à huit jours s'il ne veut pas avoir d'ennuis.

Il enfonça un chapeau crasseux et rond sur ses mèches de cheveux bouclés mais clairsemés.

— Au revoir, mademoiselle ; ne me raccompagnez pas.

Lorsque la porte claqua derrière lui, Bella se sentit envahie par la colère, pour diverses raisons. D'abord et avant tout, elle en voulait à ce Perkins et à son insolence grossière. Puis, elle en voulait à son père, non parce qu'il lui avait imposé cette expérience désagréable, mais parce qu'il l'avait trompée sur l'étendue de ses difficultés pécuniaires. Enfin, c'était surtout à elle-même qu'elle en voulait, pour s'être laissée aller à croire aux arguments optimistes sur le côté provisoire de leurs revers et l'avenir brillant qui s'annonçait.

Le dimanche précédent, comme ils revenaient du temple (sans les Benson qui fréquentaient une autre église), son père lui avait fait l'ébauche des lieux variés où ils pourraient se créer un nouveau foyer. Il se refusait, avait-il avoué, à retourner à Oxford, précisant que l'on devait regarder devant soi, jamais en arrière. Bath, peut-être, serait une ville agréable à vivre. Oui, Bella se plairait sûrement à Bath.

Dans le salon, elle contemplait les flammes de l'âtre lorsque la porte d'entrée s'ouvrit bruyamment. A la voix, elle comprit que c'était sa tante qui, de retour de ses courses, parlait à Hilda dans le vestibule. Elle n'avait pas envie, dans l'état d'esprit où elle était, de discuter avec Harriet et elle espéra qu'elle irait plutôt dans la cuisine parler du déjeuner avec Millie ; Harriet choisit ce moment pour surgir dans le salon où elle retira immédiatement ses gants.

C'était une femme de large carrure, aux traits forts, avec une épaisse chevelure grise assortie à sa robe démodée, sans élégance. La voix était brève, forte elle aussi.

— Le poisson atteint des prix fous ! A cause des tempêtes, paraît-il ; mais, toutes les excuses sont bonnes ! Hilda me dit qu'un homme est venu ?

— Une visite d'affaires pour papa, oui.

— Quel genre d'affaires ? le sais-tu ?

— Eh bien..., il a laissé sa carte !

Bella la tendit en la tenant entre le pouce et l'index — elle ne voyait aucune objection à ce que sa tante en prît connaissance.

— Perkins, conseiller financier, lut Harriet qui dévisagea Bella. Il venait faire de la récupération de fonds ?... Oh ! ne t'inquiète pas, chérie, enchaîna-t-elle devant l'hésitation de la jeune fille, je suis au courant ! Mais, je suis navrée que cela te tourmente.

— Parce qu'il y a d'autres individus du même style ? balbutia Bella.

— Quelques-uns, oui, mais il n'y a pas de quoi te tracasser. Ce n'était pas des sommes considérables, et celle-ci ne doit pas l'être davantage, j'en suis persuadée. Il faut que nous ayons une conversation à ce sujet. J'ai demandé à Hilda de nous servir le thé. Viens t'asseoir, mon petit. Cela m'ennuie de te voir troublée à ce point.

Bella prit place sur le canapé noir, sous une reproduction de l'Enfance de Raleigh. Elle redoutait cette conversation avec sa tante sur son père, mais elle ne pouvait l'éviter. Elle pressentait d'ailleurs qu'elle avait intérêt à tout apprendre.

— Ton père a sans doute enjolivé les faits, fit observer Harriet. Il n'a toujours voulu voir que le joli côté des choses, et il a un grand cœur, mais il n'est pas doué pour les affaires. Je crains qu'il n'ait jamais gagné un sou par lui-même. Il a peu à peu dilapidé l'argent qui venait de ta grand-mère, plus rapidement encore depuis la mort de ta mère, car celle-ci parvenait parfois à lui faire entendre raison. Il ne vous reste probablement plus grand-chose maintenant.

Bella n'avait jamais imaginé qu'ils étaient totalement dénués d'argent. Son père avait fait allusion à des revers de fortune, aux économies qu'il fallait désormais faire. Mais, ignorant tout du monde des affaires, elle avait pensé qu'il se rétablirait en quelques mois et qu'ils pourraient tous deux retrouver leur mode de vie de naguère. Les propos de son père, son attitude le lui avaient affirmé.

— Mais, qu'allons-nous faire ? souffla-t-elle, bouleversée.

— Je t'assure que tu n'as aucune raison de t'inquiéter.

— Mais, les dettes... ?

— Elles ont été réglées.

— Par qui, puisque papa est sans le sou ? par l'oncle Joe ?

— Il a été content de vous aider.

— Mais, c'est injuste ! nous ne pouvons continuer à peser ainsi sur vous. Vous faites déjà preuve d'une telle générosité en nous hébergeant et en nous nourrissant...

— Ne t'en fais pas pour ça, coupa Harriet. Mon mari est vraiment un homme généreux, qui a bon cœur comme ton père mais qui est heureusement plus habile en affaires. Restait une dette à éponger. Quand nous nous sommes connus, Joe Benson n'était que vendeur chez un confectionneur, sans ressources personnelles et sans avenir. Bien que n'approuvant pas notre idylle, ton père nous a soutenus. C'était, évidemment, il y a vingt-cinq ans, peu après la mort de ta grand-mère. C'est ton père qui procura à monsieur Benson les moyens d'ouvrir un magasin à lui, et il n'a pas accepté de remboursement, même lorsque les affaires ont prospéré. Cela t'explique à quel point nous sommes tous deux ravis de pouvoir vous assister dans la mauvaise passe que vous traversez actuellement.

Hilda survint, portant un plateau ; elle posa sur la table le service à thé et une assiette de biscuits.

— Je ne sais que dire, murmura Bella quand la servante se fut éclipsée.

De multiples faits la troublaient, et surtout le sentiment condescendant que lui inspiraient ces Benson. Du temps où Bella et son père habitaient Oxford, les deux familles avaient échangé des visites aussi rares que peu chaleureuses. Bella estimait les Benson, mais elle les jugeait sinistres et, bien que son père n'en eût pas réellement fait mention, elle faisait la différence entre le gentilhomme qu'il était et le commerçant Benson.

Et en venant habiter chez ce dernier, Bella n'avait pas modifié son opinion. Son père lui avait avoué qu'il préférait l'hébergement offert par la famille de sa sœur à la froide impersonnalité d'un hôtel, et elle était persuadée qu'il payait leur écot par un arrangement qui durait depuis des mois. Réalisant à présent ce qu'était en réalité la situation, elle ressentit une certaine honte.

— Ne te méprends pas sur ton père, conseilla Harriet, donnant une autre cause à la confusion de la jeune fille. C'est un brave homme qui s'est véritablement conduit en frère à mon égard bien que nous n'ayons pas vraiment de liens de parenté. Mon mariage avec Joe Benson nous a un peu éloignés l'un de l'autre, sans pour autant attiédir notre tendresse réciproque.

Elle but lentement son thé, et Bella se reprocha de noter là encore le manque d'élégance dans les gestes.

— Sa faiblesse, c'est d'avoir toujours été un rêveur. Depuis l'enfance, il fait le même rêve. Il a la sensation d'être d'essence supérieure, d'avoir sa vraie place ailleurs ; et il faut reconnaître que ta grand-mère l'a beaucoup encouragé dans cette voie. Comme bien des mères ayant un fils unique, elle l'idolâtrait. Mais, il fallait aussi compter avec son langage irlandais et rugueux. Elle faisait certaines allusions, à d'importants liens familiaux dans un milieu élevé. Et, n'étant qu'un gamin, ton père y a attaché un intérêt trop grand.

Bella prit la critique telle qu'elle avait été énoncée : avec une affection indulgente.

— Je me souviens qu'après la mort de ma mère on a annoncé, dans le journal, la mort d'un baronnet sans descendance, dit-elle. Papa était convaincu qu'il était l'héritier de cette famille.

— Oh ! ce n'était pas la première fois ! rétorqua Harriet en souriant. Etant jeune homme, il était littéralement obsédé par les prétendus droits qu'il aurait sur les biens de *lord* Harley, et c'est alors qu'il a modifié son nom.

— Comment ! Veux-tu dire que... Harley n'est pas notre nom ? s'étonna Bella.

— Il l'est devenu, mais, auparavant, c'était Hooley. Je le portais également, puisque ta grand-mère m'avait adoptée. Mais, je crois que ton père avait honte d'avoir un nom de consonance aussi irlandaise. De même qu'en un sens il avait honte de ta grand-mère, tout en l'adorant d'ailleurs. C'était une fille de la campagne, mais qui avait été très belle dans sa jeunesse.

Elle trempa un biscuit dans son thé et le grignota.

— Je n'imaginais rien de tel, confia Bella, hochant la tête. Je la savais, bien entendu, originaire d'Irlande...

Sans y avoir spécialement réfléchi, elle avait supposé que sa grand-mère était bien née, pour ne pas dire noble. Si ce n'était pas le cas, si l'élégance de son père était un trait de caractère péniblement acquis et non simplement hérité d'une parente... Bella s'était également mis en tête que la différence entre Harley et Harriet provenait du changement subi par la brave femme en raison de l'existence vécue après son mariage dans une classe sociale inférieure.

— Voyons..., fit-elle, cherchant à ordonner ses pensées : grand-mère avait des moyens tout de même, non ? C'était d'elle que venait le capital que papa a dilapidé dans ses affaires.

— Elle avait quelque fortune, c'est exact, mais pas aussi considérable que ton père le laissait entendre. Il aurait peut-être mieux réussi dans ses placements si ce capital avait été plus confortable.

— Et il y a les objets hérités de la famille, la canne de papa, par exemple, et mon médaillon.

La canne était le bien le plus précieux de Harley. C'était une tige d'ivoire, dont le pommeau d'or sculpté représentait un ours. Le médaillon qui avait appartenu à la grand-mère de Bella était également en or — il figurait un cœur entouré de perles. Bella, qui le portait sur la poitrine au bout d'une chaîne d'or, le haussa et appuya sur un petit ressort. Le médaillon renfermait le portrait de sa grand-mère, jeune et belle sous son bonnet désuet.

— Je me la rappelle plus âgée, naturellement, mais c'est bien elle, affirma Harriet après avoir contemplé le portrait. Tu as raison, il y a le médaillon et la canne, elle racontait qu'ils venaient de ton grand-père.

— Et lui, qui était-ce ?

— Elle ne parlait de lui qu'à sa façon irlandaise, au hasard. Il était mort alors que ton père n'avait pas deux ans, et elle ne possédait aucun portrait de lui. Elle disait que ce portrait aurait dû figurer sur l'autre face de ce médaillon, mais qu'il était mort trop tôt.

— De quelle façon est-il mort ?

— Elle ne le racontait jamais. Elle parlait peu de lui et, quand elle le faisait, elle procédait par des allusions et des insinuations qu'il était difficile de suivre... Il y avait peut-être un motif à cela, ajouta Harriet en considérant à nouveau le portrait du médaillon.

— Et cette canne, qui est si belle... ? Mon grand-père aurait pu être un aristocrate.

— Oui ; ou un riche banquier, originaire de France ou d'Italie, par exemple, parce que la canne n'est pas de style typiquement anglais. De toute manière, il n'avait pas de famille, sinon, celle-ci aurait réclamé l'objet.

Bella décela dans le ton une désapprobation qui l'intrigua :

— Pourquoi dis-tu cela, tante Harriet ?

— Parce que s'il y avait eu une famille, elle se

serait inquiétée de son petit-fils, non ? Et si elle avait manqué de cœur au point de s'en désintéresser, ta grand-mère se serait battue pour sa succession. Elle adorait ton grand-père.

— Je te comprends mal, avoua Bella en refermant le médaillon.

— Il ne peut pas en être autrement. Mais elle était grossière à sa façon ; elle manquait tout simplement d'éducation, dit Harriet qui reprit sa tasse en main cette fois le petit doigt incurvé. A cause de cela, et de divers détails qu'elle a laissé échapper, j'ai cru deviner qu'elle avait débuté comme serveuse. Et elle a toujours été belle. Vous, les jeunes, vous préférez qu'on soit direct, n'est-ce pas ? Il arrive qu'une jolie fille séduite soit renvoyée quand on s'aperçoit qu'elle attend un enfant, cela s'est déjà vu, et se verra encore, hélas !

Toute la différence entre cette déclaration et celle que l'on aurait pu faire à Oxford aurait résidé dans le ton et la tournure de phrase et Bella devint cramoisie.

— Elle avait de l'argent, balbutia-t-elle.

— On se montre parfois généreux dans ce cas. Si l'on considère que certaines unions sont impossibles, on n'en est pas pour autant dénué de cœur.

— Et le médaillon ?

— C'était peut-être un gage d'amour. Avec la promesse qu'un jour on y glisserait deux photos, qui sait ? Je ne prétends pas qu'il n'y ait pas eu promesse de mariage — mais, cela aussi est assez courant.

— Et la canne aurait également été un cadeau de l'amoureux à sa maîtresse ?

— Peut-être pas. Elle a pu s'en emparer quand elle a emballé ses affaires pour partir.

— Veux-tu dire... qu'elle l'aurait volé ? s'écria Bella, horrifiée.

— Le mot est trop fort, objecta Harriet, haussant les épaules. A la façon dont elle parlait de ton grand-père — quand cela se produisait —, elle a dû continuer à l'aimer, même après qu'il l'eut abandonnée. Elle voulait avoir quelque chose de lui, en souvenir peut-être, et elle a pu s'emparer de la canne s'il ne lui a jamais donné son portrait.

Le tableau de la jeune femme, délaissée après avoir reçu quelques largesses, continuant malgré tout à aimer son séducteur était laid mais vraisemblable. En contemplation devant le feu, Bella garda le silence. Sa tante se pencha pour lui tapoter l'épaule.

— C'est du passé, chérie ; il n'est pas bon de ruminer là-dessus. Je ne te l'ai évoqué que pour te faire comprendre la raison de l'échec de ton père dans les affaires. Il n'a jamais pris les choses au sérieux, car il est persuadé d'être de droit et de naissance un gentilhomme fait pour l'oisiveté. Il considère aussi qu'il est indigne de lui de se consacrer aux affaires. Mon mari lui a souvent répété que, pour gagner de l'argent, un homme se devait de garder l'argent au premier plan de ses préoccupations. Mais, ton père ne l'écoute pas. Tout ce qui a jamais compté pour lui, c'est le rang social qu'il estime devoir être le sien. Moyennant quoi, les pertes se sont accumulées, année après année, et, aujourd'hui, il n'a plus un sou de ce qu'il possédait. Cependant, tu n'as pas à t'inquiéter pour vous deux, je te le garantis.

Dun seul coup, Bella revint à l'heure présente.

— Nous ne pouvons continuer à vivre en parasites de l'oncle Joe ! protesta-t-elle. Aussi généreux soit-il, c'est...

— Cela vaudrait-il mieux pour lui de partager

ses biens avec ton père ? Parce que, je t'assure, que c'est ainsi qu'il voit les choses, mais ton père n'accepterait jamais ; et, du reste, on l'imagine mal derrière un comptoir de magasin.

Une idée qui la fit sourire. Bella l'imita d'ailleurs.

— Non ; il vaut mieux que nous nous occupions de lui. Joe paie ses petites dettes et s'arrange pour lui remettre un peu d'argent de temps à autre. Mais, crois-moi, cela ne nous appauvrit pas ; Joe est plus généreux et désintéressé que tu ne le penserais. Si nous n'avons pas de voiture, si nous n'employons que deux domestiques, c'est parce que cela nous convient ainsi. Nous n'avons pas plus l'un que l'autre le goût de l'épate, et je préfère m'occuper personnellement de ma maison plutôt que de payer des étrangers pour le faire. Je me demande ce que certaines oisives de mes relations font de leur temps. Elles jouent au whist, probablement, elles font des visites — tout ce que je déteste. Je n'ai pas besoin d'une cuisinière parce que mon mari me fait le plaisir d'apprécier mes plats et de m'en féliciter.

Elle tendit le plat de biscuits que, étant donné les circonstances, la jeune fille ne put repousser.

— Il n'y a pas que mon père, tante Harriet.

— Il y a toi, je sais, mais tu n'es plus une enfant. Tu es une femme, avec l'avenir devant toi.

— Je n'ai pas fait des études très utiles à l'académie de mademoiselle Summers. Je ne pourrais être que gouvernante, encore à condition d'être engagée chez des gens très indulgents.

— Le principal, vois-tu, reprit sa tante, c'est de ne pas te tracasser à propos de ce visiteur. Laisse-moi sa carte, mon mari s'occupera de lui. Maintenant, va te distraire pendant que je vais discuter avec Millie dans la cuisine.

Pendant le reste de la journée, Bella guetta, avec une impatience mitigée de sentiments divers, le retour de son père.

Enfin, elle entendit la porte s'ouvrir, le bruit des pas de Harley dans le vestibule, le petit coup qu'il avait l'habitude de donner, au passage, du bout de sa canne sur le baromètre. Elle s'avança pour l'accueillir et, en le voyant souriant, elle constata que la rencontre serait plus aisée qu'elle ne l'avait prévue. Il lui tendit les bras, et elle se jeta sur sa poitrine. Ce rêveur imprévoyant était cependant un père aimant.

Après cette étreinte, Harley tint sa fille à bout de bras pour la dévisager. A son expression insolite, elle s'interrogea : n'avait-elle pas, sans le vouloir, livré le fond de sa pensée ? Mais non, le regard de son père n'était pas inquisiteur ; c'était tout juste s'il voyait la jeune fille, absorbé qu'il était par des problèmes personnels. Harley semblait à la fois content et surexcité.

— Que se passe-t-il, papa ? de bonnes nouvelles ?

— Excellentes, Arabella, et très importantes.

Peut-être Harriet s'était-elle trompée ? Peut-être Harley avait-il des intérêts qu'elle ignorait, qui avaient prospéré ? Ce qui signifierait que la situation des Harley allait s'améliorer...

— Oh ! raconte, je t'en prie ! s'écria-t-elle avec impatience.

Il fit tournoyer la canne à pommeau d'or et lança :

— Que dirais-tu de te retrouver dans le rôle de la fille du marquis de Kheilleagh ? Que pensez-vous de cela, *lady* Arabella ?

## CHAPITRE II

La première pensée de Bella fut que son père était devenu fou et, la seconde, qu'il avait bu. Mais, il avait toujours été sobre et il n'empestait pas l'alcool. Elle le scruta, ne sachant trop que répliquer. Il lui sourit, rassurant :

— Cela te stupéfie, n'est-ce pas ? Mais, tu t'y habitueras vite. Viens dans le salon, je vais t'expliquer...

Dans la pièce, l'obscurité grandissait ; la jeune fille alluma les lampes à gaz. Pendant ce temps, Harley sortit de sa poche un journal qu'il étala sur la table. Il indiqua du doigt le passage qu'il voulait lui faire lire dans une page intérieure. Le titre était : *Information en provenance d'Irlande*, et le texte disait :

*Nous apprenons avec regret le décès du très honorable marquis de Kheilleagh en sa résidence du château de Malindine, dans le comté de Mayo. Dixième du nom à porter ce titre, le marquis était âgé de soixante-sept ans. Il avait, en 1833, succédé à son père, après la mort de son frère aîné tué accidentellement à la chasse quelques mois auparavant. Bien que fin cavalier, le marquis n'avait plus depuis lors chassé à courre.*

*Le marquis était peu attiré par les mondanités, et il quittait rarement son domaine du château de Malindine, qui dominait la rivière et la ville de Kheilleagh (un nom que les paysans prononcent Kailey). Il n'a assisté qu'une fois à une séance du Parlement, il y a cinq ans, et il s'y était vivement opposé au projet de loi agraire (*) de Gladstone. Il était un farouche adversaire de l'autonomie.*

*La marquise était décédée en 1864, après une longue maladie. Le dixième marquis laisse deux fils, dont l'aîné Donald, comte de Westport, prend sa succession. Le nouveau marquis, qui a quarante-deux ans, a été formé à Eton et au Trinity College.*

Levant la tête, Bella considéra son père :

— Je ne saisis pas.

— Eh bien, tu sais le mystère qui entoure depuis toujours ma naissance !... Mais si, voyons, insista-t-il devant la répugnance de la jeune fille à s'attaquer au sujet. Il est absolument certain que mon père, ton grand-père, par conséquent, était d'un rang social élevé. Ta grand-mère en a gardé le secret jusqu'à sa mort, et je n'en ai que tardivement réalisé l'importance. Je me souviens de l'avoir, dans mon enfance, plus d'une fois surprise en train de me dévisager en soupirant : « Ah ! mon Patrick, si l'on reconnaissait tes droits !... »

— Si ce n'était pas plus précis, papa...

— Non ; il y avait certes d'autres allusions, d'autres détails, des indices que j'étais sûrement trop jeune pour comprendre. Un enfant ne prend pas garde à ce genre de choses ; et puis..., je ne la croyais pas réellement.

---

* Ce projet fut émis par William Ewart Gladstone (1809-1898) pendant son deuxième ministère (1880-1885).

— Mieux vaut s'en tenir à ce scepticisme. Après tout...

— N'oublie pas la canne pourtant, rectifia-t-il en se tournant vers l'objet qu'il avait posé contre le le piano. C'est une réalité. D'après ma mère, elle avait appartenu à mon père, et son pommeau représente en poids l'équivalent de cinquante souverains d'or au moins. Ce n'est pas ce qu'un homme ordinaire achèterait pour sa femme.

*Sa femme ?* se répéta Bella. C'était là le nœud du problème, mais elle n'en souffla mot.

— Ce n'est qu'après la mort de ma mère que j'y ai sérieusement réfléchi, poursuivit Harley. Il était trop tard pour obtenir d'elle des réponses qu'elle ne m'aurait vraisemblablement pas refusées, mais j'ai pu conjecturer la suite. Malheureusement, j'ai fait fausse route, et c'est aujourd'hui seulement que je me rends compte à quel point je me trompais. Soyons francs : ta grand-mère était elle-même d'origine modeste, et mon père s'est incontestablement mésallié. Il y a, sur ce plan, des précédents célèbres, tu sais... Un exemple entre mille : Guillaume le Conquérant avait un tanneur pour grand-père (*).

Et il était né enfant illégitime, se dit Bella qui se garda pourtant de toute réflexion.

— Comme elle était fille de paysans irlandais, enchaîna Harley, je n'ai pas envisagé la possibilité pour la famille de mon père d'être également irlandaise. Ma mère était, en d'autres domaines, si différente de lui qu'elle pouvait aussi bien être de nationalité différente. C'est donc dans les familles de pairs

---

* En effet, il vint au monde à Falaise en 1027, chez un tanneur dont la fille, Arlette, fut sa mère.

d'Angleterre que j'ai recherché mes origines. En vain, naturellement ! Quel idiot j'ai été !

— Je ne saisis toujours pas, fit patiemment Bella. Le journal signale la mort d'un marquis en précisant que c'est son fils qui lui succède.

— Mais, voici un détail qui est la clef du problème ! s'écria-t-il en lui arrachant le journal. *Un nom que les paysans prononcent Kailey*. Ma mère parlait parfois de son enfance. Elle évoquait la rivière qui traversait la petite ville, le grand château dominant du haut de la colline. Ville et rivière portaient le même nom, qu'elle prononçait avec l'accent irlandais, ce qui donnait quelque chose comme Caley. Plus tard, voyant, dans des ouvrages, le nom de Kheilleagh, je n'ai pas établi la relation, car cela se prononçait Keeley.

— Admettons, mais ce n'est pas une raison pour supposer que ton père venait de cette région. Dans le journal, on signale que le marquis avait une femme et des fils.

— Celui que l'on dénommait le marquis, oui ; mais, comment avait-il obtenu le titre ? Il était le frère cadet, et son aîné avait été tué à la chasse quelques mois avant la mort de leur père en 1883, alors que j'avais deux ans. Le neuvième marquis était mon grand-père, à qui j'aurais dû succéder.

— Je reconnais que tu as des raisons d'adopter cette hypothèse, papa, mais elle peut se révéler fausse.

— Je suis persuadé du contraire, affirma-t-il avec énergie.

— Dans ce cas, qu'est-ce qui a empêché grand-mère de revendiquer le titre pour toi ?

— Beaucoup de choses ont pu jouer, une en particulier : l'influence du rang social et de la fortune. Elle était une paysanne, qui n'avait pas l'habitude d'affronter la noblesse. Et qui en était du reste incapable. Mon père mort, elle aurait été une proie facile contre les ruses et les pressions. Ils l'auraient chassée avec mépris — et une somme minime en guise de dédommagement.

— Mais, si l'on connaissait la date de son mariage, ta naissance...

— Je ne prétends pas qu'on les connaissait, répliqua-t-il sans se démonter. Le mariage a sans doute été clandestin. C'est vraisemblable à cause du neuvième marquis qui n'aurait certainement pas admis une union entre l'héritier de son nom et une fille du village. En dehors de tout autre chose, mon père se serait refusé à bouleverser un vieil homme malade, probablement mourant. Il pouvait attendre de lui avoir succédé pour annoncer son mariage. Seulement, c'est lui qui est mort le premier, laissant ta grand-mère seule, faite pour être rudoyée et expédiée en exil avec son enfant.

Il s'exprimait avec la conviction de quelqu'un décrivant un fait historique. Il faudrait le laisser aller à sa manie avant d'espérer pouvoir l'en détourner.

— Tu sembles fatigué, papa, fit remarquer Bella, résignée. Assieds-toi ; je vais t'apporter tes pantoufles.

Pendant le dîner, Harley rapporta son histoire aux Benson. Ils l'écoutèrent poliment, bien que Bella les vît échanger de rapides regards. Mais, le lendemain matin, après que Benson et ses fils furent partis pour le magasin et Harley pour Londres, la jeune fille put bavarder avec sa tante. Elle commença par la remercier de la courtoisie dont ils avaient tous fait preuve.

— Ne me remercie pas, chérie, c'est pratiquement mon frère, et nous l'aimons tous. Mon mari et mes fils ne voudraient le froisser à aucun prix.

— Il faudra bien en définitive que cela s'achève dans la déception, remarqua tristement Bella.

— Oh ! il finira peut-être par renoncer à cette idée fixe peu à peu ! Ou bien encore, il s'en accommodera sans agir. Il paraît soudain si déterminé à faire valoir ses droits...

— Quelle que soit ta détermination, elle ne te mène pas loin avec les hommes de loi. Même si tu as de la fortune, ils font traîner les choses en longueur. Et, par chance, ton père n'a pas d'argent à gaspiller.

— Il parle de se rendre en Irlande afin de revendiquer personnellement ses biens et titres.

— Ne t'inquiète pas, ma petite fille. De toute façon, il n'en a pas les moyens. Il n'a rien, et Joe m'a promis de ne pas l'aider dans cette entreprise.

— Oui ; je suppose que cela s'arrangera avec le temps, lança Bella pour se rassurer elle-même.

— Ah ! je suis bien convaincue que cette excitation se calmera ! De plus, un peu de fantaisie, de rêve, ne peut pas faire de mal, tu sais. Il faut, à un homme qui n'a pas réussi dans la vie, une lubie pour se soutenir le moral.

Elle manifestait une certaine indulgence, se rappelant sûrement que son mari et ses fils avaient, eux, réussi. Bella se dit qu'elle n'aurait pas jugé son père en vertu de ce critère-là, mais, dans sa situation, elle éprouvait de la reconnaissance pour les Benson qui étaient somme toute des alliés.

— Tu es formelle, il n'a pas les moyens de faire ce voyage en Irlande ? demanda-t-elle.

— Absolument !

Elle était en proie à une autre forme d'anxiété en guettant ce soir-là le retour de son père. Elle avait l'impression qu'il ne tarderait pas à aller emprunter de l'argent à Joe Benson — et qu'il insisterait sans vergogne si Benson lui opposait un refus. Après tout, Harriet l'avait confirmé, il avait certains droits sur les Benson sur qui il s'efforcerait de faire pression étant donné l'urgence de la situation. Elle réfléchit à ce qui pourrait en découler.

Elle éprouva quelque soulagement en l'entendant rentrer d'un pas alerte et fredonner un air d'Offenbach. De tempérament sanguin, il n'aurait pas réagi de cette façon à une rebuffade. Il était en outre persuadé du bien-fondé de ses prétentions et, en constatant que les Benson n'avaient pas soulevé d'objections, il avait dû s'ancrer plus fermement dans ses idées.

Elle fit de son mieux pour l'accueillir avec bonne humeur, lui remit les pantoufles qu'elle avait placées près de la cheminée et pria Millie de servir le thé.

— Tu es gentille, Arabella, mais tu ne dois pas te plier à des tâches aussi humbles, elles sont indignes de toi, déclara Harley.

— Mais, je suis contente de faire ces petites choses, papa ! s'écria-t-elle gaiement. Je n'ai aucune raison de me plaindre.

— Enfin, peu importe, cela ne durera plus, dit-il en souriant, lui mettant l'angoisse au cœur.

— As-tu passé une bonne journée ? s'enquit-elle.

— Assez bonne, oui, bien que je lui trouve peu de charme. Ce bruit, cette agitation, l'air étouffant que l'on y respire... Ah ! je serai heureux quand je ne serai plus contraint de me rendre à Londres !

Avec lui, on en revenait toujours au même sujet. Bella se creusa la tête, mais, sans lui laisser le loisir d'émettre un commentaire, il lança :

— Pour le moment, c'est encore indispensable. Pour toi comme pour moi d'ailleurs. La prochaine fois, tu m'accompagneras... Oui ; ne prends pas l'air étonné, ce ne sera pas pour mes affaires. Tu iras monter ta garde-robe, elle sera utile pour le but que nous voulons atteindre ; tu n'es pas de mon avis ?

Sortant son portefeuille, il en tira des billets de banque qu'il tendit à sa fille.

— Mais..., je ne comprends plus, bafouilla-t-elle.

— Il faudra des robes neuves pour notre voyage en Irlande. Ce que tu possèdes actuellement ne convient pas à ton rang, et nous ne pourrons y remédier totalement, mais nous ferons pour le mieux. Tu trouveras bien le moyen d'utiliser vingt-cinq livres sterling, non ?

— C'est impossible, voyons, papa !

— Oh ! ne me dis pas cela ! Il y a un an que tu ne t'es rien offert !

— Mais, nous n'avons pas d'argent ! Et je me sens incapable de payer avec de l'argent emprunté !

— Je t'en félicite, cependant ce n'est pas de l'argent emprunté. C'est une somme provenant d'une vente.

Une vente ?... alors qu'Harriet avait assuré que Harley ne possédait rien, ce dont Bella était d'ailleurs également convaincue ? Son père n'aurait jamais toléré de vivre de la charité des autres s'ils avaient eu les moyens de l'éviter.

Brusquement, la jeune fille se rendit compte de ce qui lui avait paru insolite lorsque son père était rentré : c'était l'absence d'un son familier ! En pénétrant dans le vestibule, Harley n'avait pas frappé le baromètre du pommeau de sa canne. Bella tourna les yeux vers la main droite que son père avait posée sur le bras de son fauteuil.

— Ta canne ! s'exclama-t-elle.

— Hé oui ! fit-il en souriant. Et c'était un objet plus précieux encore que je ne le supposais. Ta grand-mère disait qu'il y avait pour cinquante souverains dans le pommeau d'or, et elle avait raison. De plus, quand j'ai présenté la canne à un commerçant, cet homme honnête m'a adressé à un spécialiste d'antiquités. Car il semble que le pommeau soit ancien de toute manière — il aurait plus de trois cents ans. Ce serait l'œuvre de Cellini (*), le célèbre orfèvre italien. L'antiquaire m'en a offert quatre cent cinquante guinées et m'a assuré que je pourrais tirer plus encore de la canne si j'étais disposé à patienter. Lui ayant répondu que j'étais pressé de vendre, j'ai accepté son offre.

— Tu n'aurais pas dû, car c'était le seul bien de valeur que tu possédais, fit-elle, plus consternée que jamais. Papa, je t'assure qu'il ne résultera rien de bon de ce voyage en Irlande. En admettant que ton hypothèse soit la bonne, on ne peut la prouver. Cela finirait comme cette horrible affaire de Tichborne Claimant.

— Tu ne me compares tout de même pas à cet Arthur Orton, un menteur patenté et un ouvrier enrichi ? fit-il, indigné.

— Non, évidemment, et je te fais mes excuses, papa.

Le visage de Harley s'adoucit. Les colères du père

---

* Benvenuto Cellini, né et mort à Florence (1500-1571). Protégé d'abord du pape Clément VII, il fut incarcéré par le pape Paul III au château Saint-Ange ; il fut libéré grâce au cardinal de Ferrare et à l'intervention personnelle de François 1er qui le fit naturaliser français (1540) et le fit seigneur du Petit-Nesle. En disgrâce en 1545, il retourna en Italie, où il se plaça sous la protection de Cosme de Médicis.

contre sa fille étaient rares et ne duraient jamais longtemps. Un coup frappé à la porte annonça l'entrée de Millie avec le plateau. D'un geste machinal, Bella fourra les billets dans la poche de sa robe.

— Te souviens-tu qu'un ours figurait sur le pommeau de la canne ? reprit Harley après avoir récupéré sa sérénité. L'ours est un élément important dans le blason de Malindine, blason sur lequel il porte une harpe. L'idée est jolie.

— Qu'est-ce que Malindine ? demanda Bella.

Pendant que Millie posait le plateau sur la table, Harley déclara avec complaisance :

— C'est le nom de famille des marquis de Kheilleagh. Notre nom de famille, Arabella.

# CHAPITRE III

L'idée que Bella se faisait de l'Irlande venait des pièces de théâtre qu'elle avait vues, des romans qu'elle avait lus autant que des conversations échangées à Oxford à propos du problème irlandais. Les uns en donnaient une image inclinant à la drôlerie, les autres tendaient à irriter — mais il n'y avait rien dans tout cela qui approchât de la réalité. Il y avait eu une grave famine, mais c'était du domaine du passé. On avait maintenant tendance à considérer le pays comme quelque peu ridicule et ennuyeux, assez semblable à l'Angleterre au demeurant. Au pire, c'était un lieu morne ; au mieux, un royaume pétri de charme, mais sans grande profondeur.

Les Harley avaient quitté Liverpool sur un bateau à vapeur — voyage sans incident, par un temps normal avec vent léger, ciel nuageux et mer plutôt calme. De Kingstown, ils étaient allés s'installer à l'hôtel Hibernian. Bella avait été saisie par le luxe de l'établissement.

Son père était d'excellente humeur. Dans ses nouveaux costumes, il avait tout à fait l'air d'un gentilhomme. Il ne s'était cependant pas offert une canne pour remplacer l'autre, et Bella notait que, parfois, la main paternelle s'avançait comme pour aller étreindre une canne fantôme.

En fin d'après-midi, quelque deux heures avant le dîner, ils partirent flâner à travers la ville.

Comme ils passaient devant une librairie, il s'arrêta pour contempler la vitrine. A la vue d'un gros volume à reliure de cuir, il poussa une exclamation et entra pour réclamer l'ouvrage au libraire. Le titre en lettres d'or était : *Ecussons des familles terriennes.* Harley en feuilleta les pages et s'écria :

— Et voilà !

Le paragraphe concernait *les Kheilleagh, blason des Malindine.* La devise était : *Quod prehendo teneo* (*), surmontée d'un ours serrant une harpe entre ses pattes, comme la caricature d'un musicien. Un ours ménestrel, c'était presque risible !

Rayonnant, Harley ferma l'ouvrage et le rendit au libraire.

— Je l'achète. Voulez-vous le faire livrer à l'hôtel Hibernian ?

Après le dîner, ils allèrent s'asseoir dans le bar pour déguster ce café irlandais noir et fort qu'adoucissaient le sucre et la crème épaisse. Il y avait déjà là cinq ou six personnes. Peu après, Bella, qui était en face de la porte, vit surgir un inconnu qui se planta sur le seuil.

Vingt-cinq ans environ, de taille et de carrure moyennes, il avait une épaisse chevelure sombre à reflets roux. Son visage n'avait rien d'extraordinaire, sinon un menton volontaire qu'encadraient des favoris en broussaille. Son habit noir était lustré par l'usure

---

* « Je tiens ce que je prends. »

et son pantalon s'achevait par des sous-pieds démodés. Son regard se fixa sur Bella et sur son père, et il se dirigea vers eux.

— Tiens ! je crois que l'on nous recherche, observa la jeune fille à mi-voix.

Harley pivota sur son siège pour voir l'homme s'incliner devant eux.

— Ai-je l'honneur de m'adresser à monsieur Patrick Harley ?

— En effet, monsieur.

— Et à mademoiselle Harley ? Ah ! excusez-moi de me présenter de manière si peu conventionnelle, mademoiselle, monsieur ! J'aurais volontiers confié ma carte à un des serveurs s'il y en avait eu dans les parages... et si j'avais disposé de cartes. Je m'appelle John Dungillis.

— Voulez-vous vous asseoir, monsieur ? fit Harley.

— Je vous remercie... J'ai cru comprendre que vous vous étiez renseigné sur le meilleur moyen de se rendre à Kheilleagh ?

— Effectivement, répondit Harley. Je m'en suis inquiété auprès du réceptionniste en inscrivant mon nom sur le registre.

— Il me l'a raconté parce que je suis de la région. Vous envisagez de visiter la ville ?

— Oui.

— Je crois qu'il vous a suggéré de prendre le train jusqu'à Castlebar, mais mieux vaudrait descendre à Westport. C'est plus court, la route est meilleure, et vous serez plus certain de trouver un moyen de transport convenable pour la dernière partie du voyage.

— Merci de votre complaisance, monsieur... Voulez-vous prendre un café avec nous ? proposa Harley comme le serveur apportait le brandy qu'il avait commandé.

— Non, je vous remercie ; j'ai chevauché toute la journée et je n'ai pas encore dîné.

Mais, Dungillis loucha sur le cognac :

— Une boisson plus forte vous ferait-elle plaisir ? suggéra Harley.

— Eh bien, un whisky serait le bienvenu... Quand comptez-vous faire cette randonnée ? demanda-t-il quand le garçon se fut éloigné, la commande notée.

— Demain matin.

— Ah ! quel dommage ! Je suis à Dublin pour affaires, mais je serai de retour dans deux jours. Je voyage personnellement à cheval — mais j'aurais pu vous rejoindre..., disons vendredi, à Westport pour vous escorter à partir de là.

— Une escorte vous paraît-elle nécessaire ?

— Concernant d'éventuelles violences de la part des paysans ? Non, ils sont plutôt paisibles ces temps-ci. Un peu trop peut-être ? Mais, je vais vous conseiller sur la meilleure façon de finir votre voyage. Il y a, en face de la gare, une écurie dirigée par un certain Gilligan. Il possède une « longue voiture » qui monte presque tous les jours à Kheilleagh. Si vous le lui demandez, il s'occupera de vous. Recommandez-vous de moi, si vous le souhaitez.

— Qu'est-ce que la « longue voiture » ?

— C'est la diligence, si vous préférez.

— Loue-t-il des carrioles individuelles ?

— C'est possible, fit Dungillis haussant les sourcils. Tout dépend de ce dont il dispose. A Westport, ce n'est pas très demandé. Résiderez-vous quelque temps à Kheilleagh ?

Bella redouta un instant d'entendre son père détailler son but, mais, à son vif soulagement, il se contenta de dire :

— Je n'ai encore rien décidé.

— Assez longtemps cependant, je l'espère, pour me permettre de renouer connaissance avec vous... Vous descendrez à l'hôtel Royal, j'imagine ? ajouta Dungillis, après avoir regardé Bella.

— Cela aussi reste encore à déterminer.

— Je crains que vous n'ayez pas le choix sur ce point ! s'exclama l'autre en riant. Il y a deux autres hôtels dans la ville, mais ils ne vous conviendraient certainement pas. Le mot *hôtel* a un sens variable en Irlande, et, pour ces deux derniers établissements, le terme de gargote serait mieux approprié. Il faudra donc que vous vous contentiez du *Royal*. Le directeur, Donald Malone, prendra soin de vous, mais mieux vaudra tout de même vous recommander de moi.

— Vous êtes vraiment complaisant, monsieur, dit Harley. J'espère également avoir l'occasion de vous rencontrer à nouveau à Kheilleagh.

Une perspective qui enchantait moins la jeune fille. Celle-ci avait repéré l'accoutrement négligé de l'homme, et cette absence de carte de visite ne lui inspirait pas confiance. D'autre part, cette insistance à se recommander du nom de Dungillis, à l'écurie et à l'hôtel, signalait autre chose que de la bonne volonté. Dungillis comptait probablement sur une commission de la part des propriétaires reconnaissants pour la clientèle qu'il leur aurait adressée.

Quand on lui eut servi son whisky, Dungillis vida son verre après avoir porté un toast :

— A votre santé à tous deux. *Slainte* (*), comme on dit ici.

---

* « A votre santé », dans la langue du pays.

En regardant leur hôte boire, Bella se dit que ce n'était sans doute pas le premier ni le dernier verre de la journée pour lui. Elle fut contente de le voir saluer et prendre congé.

Déjà troublée par les dépenses faites à l'hôtel Hibernian, Bella avait considéré comme une extravagance le choix des voyages en première classe. Mais, elle l'admit mieux en voyant entassés dans les autres compartiments, les voyageurs éventuellement chargés de volailles vivantes ligotées par les pattes. Elle assista à une altercation entre des voyageurs et des employés des chemins de fer à propos d'un petit cochon. Le propriétaire de l'animal accepta bien à contrecœur de caser le cochon dans le wagon de la garde.

Les Harley voyagèrent en revanche dans des conditions assez confortables, parcourant les magazines que Harley avait achetés à la gare. Le train se dirigea vers l'ouest en traversant une contrée verdoyante et plate sur laquelle la jeune fille jeta de temps à autre un regard intéressé. Harley n'avait pas exagéré en assurant que le peuple de Dublin n'était pas représentatif de la population irlandaise : ici, le pays semblait plus prospère.

L'obscurité tombait quand ils atteignirent Westport (*), dans le comté de Mayo, et ils dénichèrent un hôtel à proximité de la gare. Il était surprenant que Dungillis n'eût rien recommandé de ce côté — peut-être ne connaissait-il aucun établissement qui lui eût versé une commission ? De toute façon, l'hôtel plaisait

---

* Trois mille habitants aujourd'hui, la ville fut fondée par le marquis de Sligo au XVIII$^e$ siècle, au pied de la montagne sainte des Irlandais, le *Croagh Patrick,* au fond de Clew Bay.

à Bella, ne fût-ce que parce qu'il était plus modeste que l'*Hibernian*.

La voiture devait partir pour Kheilleagh à huit heures. Dès sept heures, on servit aux Harley un copieux petit déjeuner composé d'œufs au bacon, de café, de pain irlandais, de beurre et de confiture. Bella en laissa la moitié.

La voiture fut moins ponctuelle et, en l'attendant, ils eurent l'occasion de voir la ville au lever du jour. Les rues étaient larges, de même que le Mall (*), bordé d'une rangée d'énormes tilleuls, surplombant la rivière Carrowbeg. Mais ici, plus qu'à Dublin, on ressentait la notion du vide, l'absence apparente de but. Les rues étaient désertes, mis à part une charrette tirée par âne qui passait de temps à autre, des chiens errants ou des poules qui grattaient le sol.

Lorsque, à neuf heures, la « longue voiture » arriva enfin, il s'avéra que c'était un grand véhicule à quatre roues tiré par un attelage de trois chevaux. Sans se soucier de l'examiner ni d'observer les autres voyageurs, Harley parla à nouveau de louer une carriole personnelle. Mais Bella lui fit remarquer que cela les retarderait probablement — on n'apercevait pas le dénommé Gilligan dans les écuries sur qui veillait un jeune palefrenier —, et Harley céda en grommelant. A mesure que sa destination se rapprochait, il devenait plus impatient.

Son impatience fut cependant mise à l'épreuve quand la diligence se mit finalement en route en direction du nord. Elle avançait plus lentement encore que

---

* Cette élégante avenue fut dessinée par James Wyatt. Ce grand architecte anglais, né à Burton (Staffordshire) et mort à Marlborough (1746-1813), a construit ou restauré le théâtre du Panthéon, à Londres, le palais de Kew, la chapelle de Henri VII, le château de Windsor...

ne le laissait prévoir sa lourdeur apparente, s'enfonçant dans les ornières, peinant dans les côtes et roulant en fait plus lentement que n'aurait marché un homme à pied. Les routes étaient d'ailleurs mauvaises, et la voiture y était mal adaptée.

En plus, il y eut de fréquents arrêts dans les villages. C'était un répit pour les nerfs et les muscles éprouvés, mais le prolongement de ces haltes et la lenteur avec laquelle la diligence se remettait en marche exaspérait Harley.

A un arrêt, tandis qu'ils se dégourdissaient les jambes près d'un bâtiment à l'enseigne de l'hôtel Strarn, Bella se rappela les commentaires de Dungillis. L'établissement n'était en effet qu'un pavillon noirâtre et massif, rudimentairement meublé d'une table crasseuse et d'un banc. Malgré la fraîcheur de la matinée et le vent humide qui soufflait de l'ouest, on n'avait pas allumé de feu dans la cheminée. Une femme en jupe et châle déchirés, la face livide et les yeux cernés, insista pour leur servir un rafraîchissement, ce qu'elle appela « la gourmandise du pays ».

Et elle servit un mélange blanc, gras, d'apparence plutôt écœurante. Plusieurs voyageurs acceptèrent une chope fumante pour laquelle ils payèrent six pences, et Harley s'enquit auprès du cocher sur la composition de la boisson.

— Whisky et lait de chèvre, Votre Honneur, déclara l'autre en prenant une chope qu'on lui servit gratuitement.

Il but avec avidité et s'essuya d'un revers de manche.

— C'est fameux et ça réchauffe, affirma-t-il.

— Dans combien de temps serons-nous à Kheilleagh ? demanda Harley.

— A Kailey ? Oh ! pas avant ce soir ! Si Dieu le

veut ! Mais, nous nous arrêterons en route pour dîner.

Ce qu'ils firent dans un autre hôtel et dans une bourgade où l'unique rue était bordée de maisons délabrées. C'était un peu mieux que le *Strarn*, mais la maison était envahie par des volailles et des chèvres — celles-là attachées par une corde deux par deux —, le tout caquetant et bêlant bruyamment. Le repas consista en poulet bouilli, accompagné de chou à la vapeur, et pommes de terre en robe des champs. C'était peu appétissant, mais les voyageurs étaient trop affamés pour s'en apercevoir.

Après quoi, le voyage reprit, pire encore, car la diligence grimpa dans les collines hérissées de quelques touffes d'herbe disséminées parmi des rochers.

Après une bande de terre particulièrement exaspérante, alors que les ténèbres tombaient sur l'équipage, la route amorça une descente escarpée. Tout en freinant brutalement ses roues, le cocher implora ses chevaux pour les faire ralentir.

Soudain, on aperçut des maisons. Peu après, la diligence s'immobilisa dans un grincement invraisemblable. Le cocher hurla :

— On y est à Kailey !

## CHAPITRE IV

Ils s'extirpèrent de la diligence et étirèrent leurs membres raidis. L'obscurité était telle qu'il était impossible de distinguer l'environnement. Certains des habitants du village étaient venus à la rencontre de la voiture, alertés par les grincements des roues et les cris du cocher, et ils accueillirent ceux des voyageurs qu'ils connaissaient. Harley et sa fille se tenaient à l'écart lorsque le cocher s'approcha d'eux :

— Ce n'était pas l'hôtel Royal que vous cherchiez ? Le voici, près de vous. Attendez, Votre Honneur, je vais chercher un garçon.

A travers les ténèbres, Bella crut voir un bâtiment plus imposant que ceux d'en face, qui était construit en brique rouge et qui s'élevait sur trois étages. Deux fenêtres du rez-de-chaussée étaient éclairées, et, au-dessus de l'entrée, une lanterne signalait des marches de pierre. A l'appel du cocher, la porte s'écarta, laissant passer un jeune garçon en chemise et pantalon. Bien que d'apparence frêle, il s'empara d'une valise sous chaque bras et d'une dans chaque main pour s'élancer dans l'escalier, précédant ses clients.

Harley et Bella pénétrèrent dans un hall pauvrement éclairé par une lampe à huile oscillante. Un escalier descendait des ombres plus profondes de l'étage. A droite, une porte fermée laissait filtrer des voix et des rires. Le porteur l'ouvrit et disparut dans la pièce.

— J'espère que c'est le bon hôtel, fit Harley, sceptique.

Ayant son opinion sur Dungillis, Bella se dit qu'elle n'avait pas de réponse à fournir. Au reste, le jeune garçon ne tarda pas à reparaître, suivi d'un homme d'une quarantaine d'années, au visage carré et à la bedaine rebondie. Le visage était barbu mais le crâne, dénudé.

— Alors, monsieur, fit-il, cordial, ce sont des chambres que vous désirez ?

— C'est bien l'hôtel Royal ici ? C'est monsieur Dungillis qui nous a donné cette adresse.

— Monsieur Dungillis ?

Le patron hocha la tête, l'air perplexe. Le nommé Dungillis n'avait-il pas en fait compté sur une commission mais simplement émis une « fine » plaisanterie irlandaise ? Bella s'interrogeait là-dessus lorsque son père insista :

— Nous l'avons rencontré à Dublin. Je lui ai expliqué que nous nous rendions à Kheilleagh, et monsieur Dungillis nous a recommandé cet hôtel.

— A Dublin, dites-vous ? s'écria-t-il, les traits illuminés par un sourire. Autrement dit, *sir* John ? Il est à Dublin depuis trois jours.

— Je ne saisis plus..., bégaya Harley, troublé.

— Je parle de *sir* John Dungillis, de la résidence Gillis. Les amis de *sir* John sont toujours les bienvenus ici. Paddy, tu monteras les bagages de ce monsieur et de cette jeune dame dans nos meilleures chambres. Et chasse les occupants s'il y en a !

Harley s'apprêtait à protester quand l'autre éclata de rire :

— Façon de parler, monsieur. Les chambres sont aussi désertes que l'église un lundi. Si vous voulez monter avec Paddy, je vais vous faire porter de l'eau chaude. Puis, vous redescendrez souper, car vous devez être affamé si vous venez de Westport. A la cuisine, rôtit un jambon du meilleur cochon tué à Mayo depuis Noël. Allons, Paddy, dépêche-toi, ne fais pas attendre ces personnes !

Bella était si éreintée par cette journée qu'elle ne put conserver de la soirée que des impressions embrumées et incohérentes. La salle à manger, petite, aurait eu besoin d'être repeinte, mais elle était propre. Dans la cheminée brillait un feu de tourbe, à l'odeur douce et piquante à la fois. Le jambon fut servi avec les inévitables choux verts et les pommes de terre en robe des champs, mais il était dégraissé et savoureux. Harley apprécia le vin rouge, précisant qu'on en trouvait rarement d'aussi bon dans un tel pays.

Bella alla se coucher de bonne heure. Bien que de dimensions réduites, la chambre était nette ; elle était chauffée par un feu de tourbe. Des reproductions d'inspiration manifestement catholique ornaient les murs — l'une représentant Jésus en berger, l'autre avec un cœur rouge flamboyant. Après avoir constaté que le lit était fait de draps amidonnés, la jeune fille s'endormit profondément.

Il était tôt, mais il faisait grand jour quand elle s'éveilla. Des pas claquèrent au-dessus d'elle ; au-dehors, une charrette grinçait. Par la fenêtre, le jour lui apparut couleur de perle, fascinant. Elle eut vite fait de se lever et d'aller tirer les rideaux. En fait, la ville était noyée dans la brume. La charrette qu'elle avait entendue n'était qu'une forme qui cahotait pour descendre la rue, et Bella ne parvint pas à distinguer le contour des maisons d'en face.

Quand elle ouvrit la fenêtre en grand, elle croisa vivement les bras, saisie par l'âpreté du brouillard. Il faisait beaucoup trop froid pour rester là à regarder une grisaille informe, et Bella préféra regagner l'abri tiède de son lit. A la même seconde, son regard s'arrêta sur une tache claire, plus haut. Le soleil se levait, un peu pâle encore.

Et Bella vit également autre chose. Ce ne fut tout d'abord qu'une forme floue qui apparaissait dans la blancheur opaque. Mais, à mesure que la nappe de brouillard se dissipait, cette forme se précisa, et ses contours devinrent plus distincts.

Enfin, Bella distingua une tour carrée, à moitié en ruine. Puis, lorsque le panorama se dégagea davantage, une seconde tour, apparemment identique, surgit à droite de la précédente.

Elles devaient se dresser sur une colline dominant la ville, mais, en cet instant, elles semblaient surgir de la brume et ne reposer sur rien. On eût cru qu'elles faisaient partie d'une forteresse céleste construite par des ogres, et, dès lors, l'imagination aidant, la ligne effritée des tours empruntait une dureté, une pesanteur brutale. Saisie d'une sorte d'appréhension, Bella frissonna.

Mais elle ne referma pas la fenêtre ni ne détourna les yeux. C'était donc là ce château de Kheilleagh dont son père rêvait. En elle, il provoquait une frayeur insensée.

A l'heure du petit déjeuner, le brouillard s'était levé, et l'on pouvait alors clairement distinguer le paysage entourant la ville. Celle-ci avait été bâtie au croisement de deux vallées — la veille, c'était au fond d'une de ces vallées qu'était passée la diligence. Ressemblant en cela à de nombreuses petites villes irlandaises, elle comportait une seule et large voie de communication avec plusieurs ruelles adjacentes, aboutissant aux champs et une route obliquant vers l'est et la vallée convergente. Une rivière en descendait, longeait la route et traversait la rue principale passant pardessus avant de s'éloigner vers l'ouest.

Là se trouvait le château. Il était sur un promontoire surplombant la ville, avec, derrière, les collines plus élevées qui partageaient les deux vallées. Les tours jumelles étaient d'anciens donjons médiévaux, mais le corps de bâtiment principal était beaucoup plus récent, et seule l'une des tours y était réellement incorporée, dans l'angle nord-ouest. L'autre, une ruine tapissée de lierre, se dressait à côté, semblable à une sentinelle, ou à une résurgence des temps révolus.

Anciens ou récents, les éléments avaient été construits en pierre du pays. Çà et là, le lichen mettait une note claire sur les murs grisâtres. En reconstruisant, on avait manifestement conçu une vaste demeure du genre palais, mais les tours — dont l'une avait été laissée à l'abandon — dominaient l'ensemble, en faisant une espèce de forteresse. L'on était persuadé, en voyant le château, qu'il comprenait des douves et un pont-levis. Ce n'était pas le cas, mais la route qui grimpait, sinueuse, s'achevait devant une porte massive de bois barré de fer. Les visiteurs étaient strictement contrôlés avant d'en franchir le seuil.

Le château, de par sa situation élevée, avait vue

sur tout. Bella se demanda ce que l'on pouvait éprouver lorsqu'on était né, lorsqu'on avait été élevé sous la protection de cette masse de pierre. C'était probablement ce qui était arrivé à sa grand-mère. Le cœur de Bella frémit de sympathie, non à l'égard de ce séduisant héritier dont, selon Harley, le titre devait leur revenir, mais à l'égard de cette pauvre petite paysanne aussi démunie que celles qui traînaient dans les parages, et que l'on avait contrainte à s'exiler avec son enfant.

En flânant dans la ville, au côté de son père, Bella passa devant divers magasins et bureaux, la caserne de la police et le bureau de poste, à proximité aussi d'une douzaine de bistros où l'on apercevait, par la porte ouverte, des hommes en train de boire malgré l'heure matinale.

— Nous allons nous diriger par ici, décida Harley. Nous examinerons l'église. Ce doit être le presbytère à côté.

Inattendue, la silhouette d'une femme surgit sur le seuil d'une maison à proximité. Elle avait visiblement l'intention d'emprunter la même direction que les Harley, mais, en les apercevant, elle s'immobilisa, s'inclina pour saluer.

— Bonjour, madame, fit Harley, soulevant son chapeau.

Agée de quarante ans environ, elle était belle, plutôt distante, avec un front haut et un nez grec, une chevelure noire grisonnante. Etait-ce la comtesse de Kheilleagh visitant ses pauvres ? Mais, il n'y avait pas de voiture en vue !

Les Harley eurent tôt fait d'apprendre son identité.

— Je m'appelle Agnès Dennison, annonça l'inconnue avec un aimable sourire. Mon mari est le pasteur de Kheilleagh. Vous devez être des visiteurs, n'est-ce pas ? Pardonnez ma curiosité, mais nous en avons si rarement.

— Des visiteurs, en effet, madame. Je suis Patrick Harley, et je vous présente ma fille, Arabella. Nous sommes descendus au *Royal.*

— Comptez-vous séjourner longtemps dans nos murs ?

— Plusieurs jours en tout cas.

— Nous espérons donc vous revoir. Nous manquons de compagnie dans ce lieu retiré. Voulez-vous entrer un moment au presbytère puisque c'est votre chemin. Vous accepterez bien un rafraîchissement ?

— C'est très gentil à vous, madame, mais nous ne voulons pas vous déranger, dit Harley.

— Pas du tout. Mon mari peut abandonner ses livres un moment ; il y est plongé pendant des heures !

Pendant les cinq minutes de trajet jusqu'au presbytère, elle eut le temps de leur expliquer qu'elle venait d'aller porter des œufs et du bœuf en gelée à une pauvre femme alitée. Il ne s'agissait pas d'une paroissienne de son mari, car il n'y avait que des catholiques le long de cette route.

Lorsque Harley la complimenta sur ce geste de charité désintéressée, elle hocha la tête :

— Ma tâche n'est pas très absorbante, en réalité, d'autant que je n'ai pas de santé.

— Oh ! je suis navré de l'apprendre !

— Je viens de passer trois jours chez moi en proie à de terribles névralgies. C'est le soleil qui m'a attirée dehors ce matin, mais je suis en train de le payer. Enfin, tans pis ! De quelle partie de l'Angleterre venez-vous, monsieur ?

— De Londres dernièrement, mais nous avons longtemps vécu à Oxford.

— Ah ! Londres ! soupira-t-elle. Comme il y a

longtemps que nous n'y sommes pas allés ! J'aurais tant aimé voir Irving, dans *Hamlet !* Il paraît qu'on a détruit le *Colosseum*. Regent's Park doit être sinistre sans ce momument. J'adorais les grottes aux Stalactites.

Comme ils étaient parvenus à l'église, Harley admira :

— Une belle construction, en vérité !

— Oui, mais il y manque une congrégation pour la remplir.

— J'imagine que, dans le pays, la population est généralement catholique ?

— Pratiquement sans exception. Nous avons, nous, les Dungillis et un fermier qui vient de temps à autre. Nous pourrions être une douzaine, mais il n'y a jamais plus de six personnes à la fois.

— Et les gens du château ?... Je constate qu'ils ont une voie d'accès privée ?

— La route date de temps plus heureux ! fit-elle, à nouveau morne. Les Malindine ne viennent à l'église que pour Pâques ou Noël, rarement en d'autres circonstances.

Au grand soulagement de Bella, Harley retint le commentaire qui lui venait aux lèvres. Elle craignait que l'on en vînt à parler des Malindine. Par bonheur, ils pénétrèrent dans le jardin du presbytère à cet instant. Un sentier de gravier séparait des rangées de massifs bien dessinées. Lorsque Mme Dennison ouvrit la porte, un jeune garçon vint se charger des manteaux des visiteurs.

Pendant qu'il allait avertir le pasteur, Mme Dennison entraîna les Harley dans le salon du premier étage.

C'était meublé avec goût, et confortablement. Il y avait beaucoup de pièces d'argenterie et de jolies porcelaines enfermées dans une vitrine de laque japonaise, des tableaux représentant des paysages méditerranéens sur les murs, un tapis d'Orient écarlate qui recouvrait presque tout le parquet, et un mobilier Chippendale. Il y avait également un piano à queue, sur lequel on avait posé la partition d'une sonate de Beethoven. Bella s'arrêtant en admiration, Mme Dennison observa :

— Moi qui raffole de la musique, je ne puis — hélas ! — en faire beaucoup ces jours-ci à cause des douleurs dans mes bras. C'est une grande privation pour moi.

Sur son offre, Harley accepta un verre de madère, mais Bella refusa en remerciant.

— Alors, un verre de citronnade, déclara-t-elle. Je la fais faire avec de l'eau d'Appolinaris, parce que je n'ai pas confiance dans l'eau du pays, même bouillie. Tiens ! j'entends le pas de mon mari dans l'escalier !

L'homme qui fit son apparition avait un col de clergyman sous un veston marron bordé de velours vert. Des lunettes cerclées d'or étaient perchées sur son nez fin et long. Comme sa femme, il était plutôt beau et, en un sens, il lui ressemblait — le front surtout, haut et intelligent. Sa chevelure épaisse était argentée, bien que l'homme ne parût pas plus âgé que sa femme.

— Je t'ai amené des visiteurs, Andrew, dit Mme Dennison. En les voyant passer à proximité, je leur ai suggéré d'entrer.

— Et comme tu as eu raison ! s'exclama le pasteur en serrant la main de Harley. Je suis enchanté de faire votre connaissance, monsieur.

— Monsieur Harley et sa fille sont descendus au *Royal*, expliqua Mme Dennison.

— Harley est le nom sous lequel je suis actuellement obligé de me présenter, intervint le père de Bella.

Intrigués et intéressés, les Dennison le dévisagèrent.

— Oui ; je suis en réalité le dixième marquis de Kheilleagh, enchaîna Harley.

# CHAPITRE V

Deux jours plus tard, Bella rougissait encore au souvenir de cette scène. Elle s'y était crue préparée, mais, comme l'incident s'était produit de manière inattendue et après que son père eut manifesté une certaine discrétion, elle était littéralement tombée des nues. C'était d'autant plus désagréable quand les interlocuteurs n'étaient pas de la famille, mais un pasteur et sa femme que les Harley avaient rencontrés une demi-heure plus tôt.

En proie à une espèce d'agonie, Bella avait guetté la réaction des Dennison sans savoir quelle attitude adopter. Ils auraient pu être amusés, horrifiés ou simplement affolés à l'idée d'avoir un fou chez eux. Au vif soulagement de la jeune fille, ils ne manifestèrent rien de tel ; ils ne cherchèrent pas davantage à feindre de ne pas avoir entendu la déclaration. Au contraire, le pasteur s'enquit courtoisement des circonstances qui permettaient, de la part de Harley, de telles allégations. Il demanda si son hôte appartenait à une branche cadette de la famille Malindine et s'il revendiquait ses droits à la suite de quelque erreur ancienne dans la succession.

Bella grinça des dents à la pensée que son père

allait se lancer dans le récit concertant la vie de sa propre mère, les allusions qu'elle avait faites sur *Kailey*, sur les droits qui auraient dû être les siens, les deux objets dont son fils avait hérité — mais, par chance, cette épreuve lui fut épargnée. Harley se retrancha dans une prudente réserve. Il ne lui était pas possible pour le moment d'entrer dans les détails, confia-t-il ; certaines démarches étaient en cours... Le pasteur acquiesça avec sympathie, sans insister.

La visite se déroula en définitive plus facilement que ne l'avait craint Bella au début, grâce en partie à la délicatesse des Dennison, mais aussi à l'apparence de modestie et de bon sens que conserva son père après sa sortie. Avant de partir, les Harley convinrent de revoir leurs nouveaux amis.

— Venez donc dîner vendredi, avec les jeunes filles Dungillis, suggéra Mme Dennison. Ah ! il est difficile d'organiser une table ici tant les jeunes gens sont rares ! *Sir* John Dungillis serait venu, mais il est actuellement absent du pays.

— Nous avons lié connaissance avec lui à l'hôtel Hibernian, à Dublin, expliqua Harley.

— Un établissement que l'on vante beaucoup, mais nous nous rendons si exceptionnellement à Dublin ! soupira Mme Dennison. Nous n'allons d'ailleurs nulle part en fait.

— Eh oui ! nous sommes bloqués, coincés, confinés à notre petit coin de campagne ! admit le pasteur en souriant. Vous avez la chance de venir d'une autre partie du monde, pour nous, et j'ai hâte d'être à vendredi soir.

Bella était également avide d'assister à ce dîner, pendant qu'elle achevait de s'habiller. Elle avait surtout envie de connaître les demoiselles Dungillis — en regrettant toutefois l'absence de leur frère.

Pourvu que son père n'abordât pas l'objet de son obsession ! En y songeant, elle se contempla tristement dans le miroir. Elle devait pourtant reconnaître qu'il n'y avait plus fait allusion depuis et qu'apparemment il n'était pas allé plus loin dans cette affaire. Il n'avait pas même proposé de longer la route qui sillonnait la colline pour monter au château.

Comme les Harley ne disposaient pas de voiture, le pasteur avait proposé d'aller les chercher dans sa charrette anglaise, mais Harley avait refusé. La distance n'était pas grande, la promenade serait agréable, et l'hôtel pourrait envoyer un cabriolet pour les ramener en fin de soirée. Après discussion, il avait été convenu que, si le temps le permettait, les Harley viendraient à pied, et que le pasteur les ramènerait. La voiture viendrait de toute façon de *Gillis House*, mais le pasteur assura que ses autres invitées seraient ravies de déposer les Harley.

Alors qu'ils traversaient le pont sur la rivière Kheilleagh et empruntaient le chemin du presbytère, la soirée s'annonça belle, presque chaude, en tout cas sèche malgré le ciel nuageux. On les attendait pour six heures, et il faisait encore jour. On distinguait nettement le contour des collines environnantes — ce qui laissait présager la pluie, avait dit le patron de l'hôtel. On discernait également des silhouettes dans la foule qui s'était agglutinée devant l'une des chaumières.

Il y avait là une douzaine d'hommes et de femmes vêtus de guenilles, autour d'un inconnu en soutane noire, un prêtre catholique. Tant de gens réunis sans motif apparent, cela aurait pu ressembler à une menace — mais le silence pathétique qui pesait sur le groupe n'avait rien de menaçant. Cependant, saisissant sa fille par le bras, Harley l'entraîna de l'autre côté du chemin, près du bord de la rivière.

Quand ils se rapprochèrent, ils perçurent des cris qui venaient de la demeure. Des personnages en pleurs surgirent : une femme avec des enfants hurlants accrochés à ses jupes, suivie d'un homme au visage sombre. Le prêtre s'avança à leur rencontre et leur parla à voix basse. L'homme l'écouta, secoua la tête avec consternation, mais les enfants ne cessèrent de se lamenter et de gémir.

Quatre autres silhouettes, en uniforme bleu et rouge orné d'une multitude de boutons de cuivre, franchirent le seuil étroit à leur suite. Ces quatre hommes portaient divers objets : quelques méchants meubles, des pots, des casseroles, de misérables ustensiles. Un cinquième, en civil, se montra enfin et, d'une voix calme, ordonna d'empiler le tout dans la rue.

— De quoi s'agit-il ? demanda Bella, s'adressant à son père qui s'était immobilisé.

— D'une expulsion, sans doute. Ces malheureux n'ont pas dû pouvoir régler leur loyer, et on les chasse de chez eux.

Des sabots de cheval claquèrent, et un cavalier traversa au galop le pont, venant dans leur direction. Il arrêta brutalement sa monture quand il fut près de la maisonnette et interpella sèchement l'homme qui supervisait le déménagement :

— Tout se passe bien, Purdy ?

L'autre retira son chapeau. Sur son visage, il avait l'air d'avoir posé le masque de la sérénité dans lequel les yeux découpaient deux fentes.

— Parfaitement, monsieur le marquis. Ils ne nous ont causé aucun ennui.

Ainsi, le cavalier était le marquis de Kheilleagh. Bella le dévisagea avec un dégoût qui provenait, d'une part, de son rôle dans cette scène lamentable, d'autre part, de ce qu'il constituait l'obsession de Harley.

C'était un homme qui avait certainement dépassé la trentaine — la figure était burinée, toute ridée près des yeux, mais la barbe en broussaille était totalement noire. Il était en manteau bleu doublé de satin rouge — couleurs des uniformes de ses hommes —, et, sur son cheval, il avait une position qui donnait une impression de puissance.

Pendant ce temps, on continuait de déménager la maisonnette. Deux hommes transportèrent un lit d'où pendaient des draps, ce qui déclencha un gémissement chez la femme et ranima les glapissements des gosses. Le prêtre posa sa main sur l'épaule de la femme tout en fixant le cavalier sans mot dire.

— Finissez-moi vite cette besogne, commanda le marquis. Clouez solidement portes et fenêtres ; je ne veux pas qu'ils se faufilent la nuit dans la maison. Et venez ensuite me faire votre rapport.

Purdy acquiesça d'un signe. Harley grommela tandis que sa figure devenait livide.

— Il ne peut pas traiter « mes » gens de cette façon ! souffla-t-il à mi-voix.

Bella le retint par le bras, s'efforçant de l'apaiser, mais il interpella le cavalier :

— Hé ! vous, monsieur !

Le marquis se retourna sur sa selle pour les dévisager, mais il ne répondit pas.

— Quel est le montant du loyer ? demanda Harley. Je vais régler la dette de ces braves gens.

Un silence se produisit, qui ne fut rompu que par la plainte prolongée de l'un des enfants. Claquant doucement de la langue, le marquis mit son cheval au pas. Sans un regard pour Harley, il dit :

— Il y a un règlement à respecter dans la façon

de s'adresser à un pair du royaume, et vous auriez intérêt à l'étudier. Comme à ne pas vous mêler de ce qui ne vous concerne pas.

— Cela me concerne, monsieur. Dites-moi le montant du loyer qui vous est dû, et je le paierai.

— Oui, bon sang ! vous avez beaucoup à apprendre ! rétorqua le marquis avec rudesse.

Et il brandit sa cravache. D'instinct, Harley se raidit. La cravache fendit l'air sans toucher Harley, mais elle effleura son chapeau en le projetant dans la rivière au courant rapide.

Le marquis se détourna, méprisant.

— Purdy, gronda-t-il, je vous verrai dès que vous aurez terminé.

Et il s'éloigna en direction du pont.

Constance, l'aînée des demoiselles Dungillis, était une grande fille blonde, primesautière. Maud, sa cadette, était à la fois plus jolie, plus menue et plus calme. Elles n'étaient ni l'une ni l'autre vêtues avec recherche. Leur toilette ne sentait pas le bon faiseur.

Madame Dennison avait infiniment plus d'allure dans une toilette de satin bleu, avec un corsage serré, des manches courtes en tulle et une jupe à traîne. Bien que gracieuse hôtesse, elle ne résista pas à l'envie de confier à ses invités quelle affreuse migraine l'avait clouée au lit toute la journée et continuait à lui vriller les tempes.

Harley parut récupérer assez rapidement après son affrontement avec le marquis. Bella, pour sa part, se sentait moins heureuse. Elle était obsédée en même temps par la détresse de ces malheureux que l'on avait chassés de leur maison et le mépris avec lequel le marquis avait traité son père. Elle était partagée entre la pitié et la fureur. En ce qui concernait la colère, la situation ne s'arrangea pas — Bella constata, en effet, que, les filles Dungillis étant arrivées avant les Harley, la conversation s'était naturellement engagée sur eux, en particulier sur les droits que comptait revendiquer le père de Bella.

Cela se manifesta de différentes manières dans les réactions des jeunes filles. Constance se trahit en regardant du coin de l'œil Harley pérorer et en lui témoignant une déférence très exagérée. Maud, de son côté, fit preuve d'un souci sympathique que Bella eut du mal à endurer.

— John sera furieux quand il connaîtra l'événement, affirma Constance. Avant de partir pour Dublin, il avait obtenu de Purdy la promesse que personne ne bougerait.

Elle s'exprimait avec le ton de l'approbation pour ce que serait vraisemblablement la réaction de son frère, lequel n'était pas un *fenian* (*), et Bella partagea son sentiment. Bella se dit qu'elle aurait dû pressentir que John Dungillis était un homme de cœur. Au moment de demander à sa sœur quand il devait revenir, elle s'en abstint en évoquant la perspicacité de Constance.

— Qu'arrivera-t-il à ces gens qui ont été expulsés ? s'enquit-elle.

— Des amis ou des parents les hébergeront pour cette nuit, répondit Mme Dennison. Ensuite ?... En-

---

* Mouvement nationaliste irlandais. Son histoire commence avec le départ de John O'Mahony pour New York en 1854, mais il prit forme avec la création de l'I.R.B. (Irish Republican Brotherhowd) à Dublin, le 17 mars 1858 ; cofondateurs : John O'Mahony, James Stephens, Jeremiah O'Donovan Rossa... O'Mahony lui donna aussi le nom de Funion Brotherhood, sous lequel le mouvement étendit sa popularité.

suite, ils prendront sans doute la route comme chaudronniers ambulants. Ils n'ont aucune chance ici ; il n'y a aucune possibilité pour ceux qui sont mal vus du château.

La voix recelait une amertume presque personnelle.

— Mais, enfin..., commença Bella qui s'interrompit.

Des pas venaient de résonner dans l'escalier — trop bruyants et trop rapides pour être ceux de Harley ou du pasteur. Un coup frappé sur le battant, et la porte s'ouvrit sur John Dungillis, qui s'avança vers la maîtresse de maison :

— Voulez-vous m'excuser d'être entré sans me faire annoncer, mais j'ai confié mon cheval à votre homme et je ne pouvais attendre plus longtemps pour vous présenter mes respects ? Comment allez-vous ? Vous êtes resplendissante, éblouissante. J'ai galopé comme un fou jusqu'ici, et je serais arrivé avant le dîner si mon cheval n'avait perdu un fer avant Kiltamagh. Votre brave madame Clark accepterait-elle de me servir une tranche de viande froide et un bout de pain ? Je meurs de faim !

— Oh ! je suppose qu'elle peut faire mieux encore ! s'écria gaiement Mme Dennison. Servez-vous à boire pendant que je vais lui parler. Et soyez courtois jusqu'au bout, en saluant vos sœurs, sans oublier mademoiselle Harley que vous connaissez déjà, me semble-t-il.

Il ébaucha un salut en souriant vers ses sœurs et s'approcha de Bella :

— En effet, nous nous sommes déjà rencontrés.

La voix était chaleureuse ; la main qui étreignit celle de Bella recelait une force contenue. La jeune fille sourit.

— Je suis ravi de vous revoir, mademoiselle. Cela rend mon retour au pays encore plus plaisant.

Pendant que Mme Dennison sonnait la femme de chambre, Constance déclara à son frère :

— Un fait va assombrir ton retour, John : les Martin ont été expulsés de chez eux.

— Quoi ! tu en es sûre ? fit-il en tournant vers elle un masque durci.

— Oui. Nous avons vu Purdy et ses hommes aller chez eux.

— Purdy m'avait pourtant promis qu'on ne ferait rien pour le moment... Il faut que je lui parle.

— Oh ! pas ce soir !

— Le plus tôt sera le mieux ! J'avais sa parole.

Sous l'effet de la rage qui l'envahissait, ses poings se crispèrent.

— Asseyez-vous, John, s'interposa Mme Dennison. Et avalez d'abord quelque chose. Je suis persuadée que vous n'avez rien mangé depuis le petit déjeuner.

— Il y a ce soir, en Irlande, beaucoup de gens qui ont aussi faim que moi, davantage même, à Kheilleagh en particulier.

D'autres pas claquèrent, plus lents, dans l'escalier.

— Ah ! ce sont sans doute monsieur Harley et Andrew ! Ils abandonnent bien vite leur porto, mais ils ont dû apprendre que vous étiez là, John. Tiens ! mon cher ami, vous ne vous êtes pas versé à boire !

Elle faisait manifestement tous ses efforts pour l'apaiser. Le pasteur entra en souriant, mais John coupa court aux salutations.

— Est-il exact qu'ils ont expulsé les Martin ?

— Hélas ! oui ! Personne n'y pouvait malheureusement quoi que ce soit !

— Vraiment ! persifla John, furieux.

— Vous connaissez également monsieur Harley, John, intervint Mme Dennison.

— Oui. Je suis heureux de vous revoir, monsieur, fit machinalement John, la main tendue. Si Purdy croit que...

— Tu devrais interroger monsieur Harley plutôt que Purdy, coupa Constance.

— A quoi diable fais-tu allusion ? aboya son frère.

— Il paraît que ce monsieur a des droits sur le titre de Kheilleagh, fit-elle, suave, à l'intention de Mme Dennison, qui hochait la tête avec consternation. Il prétend être de droit le marquis de Kheilleagh ; n'est-ce pas, monsieur ?

— C'est exact, répliqua gravement Harley. Et je vous promets que ces injustices seront réparées.

L'espace d'un instant, John le dévisagea, bouche bée, puis il s'écria :

— Cet homme est fou ! Grands dieux, comme si ce pays n'avait pas déjà assez d'ennuis sans avoir, par-dessus le marché, à subir le délire d'un Anglais dément !... Pardonnez-moi, Agnès, ajouta-t-il en se tournant vers Mme Dennison, mais le souper attendra ; il faut que j'aille voir Purdy.

Il partit sans même accorder un signe de tête aux autres et dévala l'escalier plus bruyamment encore qu'à son arrivée.

# CHAPITRE VI

Le lendemain, après le petit déjeuner, Harley s'éclipsa, abandonnant Bella à son sort. Elle envisagea une promenade, mais le vent soufflait, avec des menaces continuelles d'averses. Elle s'installa donc dans le salon de l'hôtel, parcourant successivement un numéro du *Times* vieux de quatre jours et un ouvrage sur une exploration africaine. Elle lut distraitement, vaguement inquiète à propos de son père.

Il était onze heures lorsque le patron de l'hôtel introduisit John Dungillis. Bella en voulut au jeune homme de ne pas l'avoir avertie de sa visite, l'empêchant ainsi d'imaginer un prétexte pour refuser de le recevoir, mais elle mit cette démarche insolite sur le compte de la désinvolture naturelle des Irlandais. De plus, Malone savait que les Harley s'étaient présentés chez lui avec la recommandation de Dungillis. De toute façon, Bella se dit qu'elle n'était pas mécontente d'avoir ainsi l'occasion de dire au jeune Irlandais ce qu'elle pensait de lui.

Il se débarrassa du chapeau marron et du vieux manteau gris qu'il confia à Malone pour apparaître en culotte de cheval marron et veste marron élimée à revers de velours blanc.

— Mademoiselle Harley, je suis venu vous prier d'accepter mes excuses — que je présenterais également à votre père s'il était là.

— Votre visite n'était pas nécessaire, monsieur, répliqua-t-elle, glaciale.

— Au contraire, car je me suis grossièrement exprimé hier soir, avoua-t-il, tendant une main qu'elle ignora.

— Très grossièrement.

— Vous avez raison de me le reprocher ! s'écria-t-il en riant.

— Ne vous y trompez pas, car je n'ai pas envie de vous sermonner. Je souhaite seulement que vous preniez congé.

— Je vous ai jugée jolie dès l'instant où je vous ai aperçue, mais vous l'êtes dix fois plus ce matin. La mauvaise humeur vous va bien !

— J'ai peu l'expérience des bonnes manières irlandaises, mais, si vous en êtes un exemple type, je préfère en rester là ! riposta-t-elle avec colère.

— J'étais moi-même de mauvaise humeur, je l'admets. Pas contre vous ni contre votre père, mais j'étais prêt à me venger sur n'importe qui... Cette expulsion m'avait rendu furieux, d'autant que je comptais sur Purdy... Alors, entendre quelqu'un proférer des insanités...

— Vous vous êtes excusé, sans beaucoup d'élégance ni de gentillesse, mais cela devrait suffire à mettre fin à notre entrevue. Au revoir, monsieur.

— Ne le prenez pas ainsi, je vous en prie. D'accord, je me suis comporté maladroitement ! De cela aussi il faut m'excuser. Voyez-vous, je suis irlandais et fruste. Il ne faut pas que nous nous quittions fâchés, mademoiselle. Quelles que soient mes opinions sur d'autres sujets, je vous approuve entièrement même quand vous soutenez votre père.

— Je vous serais reconnaissante de prendre congé.

Après un silence, il reprit :

— Vous avez de la volonté et du caractère, je regrette qu'en ce moment ils soient tous deux braqués contre moi. Mais, si vous me permettez un conseil...

— Je n'en ai pas besoin.

— Usez un peu de votre fermeté contre votre père ; éloignez-le d'ici. Le pays est étrange, dur, triste ; il n'est pas fait pour un candide comme lui. Emmenez-le en Angleterre pendant qu'il en est encore temps.

Son insistance et son arrogance, le mépris pour son père qui filtrait au travers de ses propos, tout cela était intolérable..

— Adieu, *sir* John, lança Bella en lui tournant le dos.

— Bien, si vous refusez de m'écouter... Les circonstances vous y contraindront pourtant, vous ne tarderez pas à le constater. Au revoir, mademoiselle.

Il quitta la pièce, et Bella l'entendit au passage interpeller Malone. Les deux hommes allèrent s'enfermer dans le bureau privé du directeur de l'hôtel, d'où John sortit un quart d'heure après pour se mettre en selle. Bella songea avec dédain qu'il avait eu le temps d'ingurgiter un ou deux whiskies.

Harley survint pour le déjeuner. Il était d'excellente humeur et, sans qu'elle l'eût interrogé, il expliqua à sa fille :

— J'ai invité quelqu'un à prendre le thé cet après-midi. Le père Carthy, un prêtre de la région, que j'ai rencontré ce matin. Un homme intéressant bien qu'il manque un peu d'éducation. Il a été formé à Maynooth (*), naturellement, pas en France.

Une remarque qui laissa Bella perplexe. Cette obsession d'avoir une ascendance irlandaise n'avait tout de même pas poussé son père à embrasser la foi catholique... Non ; c'était absurde ! Les Malindine n'étaient arrivés en Irlande qu'après la Réforme, et ils étaient depuis lors membres de l'église établie. Elle cherchait un commentaire à émettre lorsqu'il enchaîna :

— C'est à mon sens l'homme le mieux renseigné sur les Hooley, la famille de ta grand-mère, ou du moins le mieux placé pour acquérir des informations. C'est d'ailleurs ce que je l'ai chargé de faire. Il viendra me faire son rapport sur ce qu'il aura réussi à apprendre.

— Connaît-il la raison de cette enquête ?

— Il sait seulement que la famille m'intéresse, mais je ne lui ai pas révélé pourquoi.

— Il est gentil de t'aider.

— Oui. Mais, je l'ai prié de transmettre une donation que je désire faire à l'intention des pauvres de la paroisse. Ils semblent très nombreux. Comme, par exemple, ces malheureux que l'on a expulsés de leur maison.

Il y avait de la sympathie et de l'indignation dans sa voix. Une émotion que Bella comprenait et partageait. Mais elle se demanda néanmoins s'il était raisonnable de la part d'un étranger, d'un Anglais, de se mêler de si près des affaires locales. Un pays étrange, dur et triste, avait précisé Dungillis, où l'on devinait,

---

* A 30 km de Dublin, dans le comté de Kildare, séminaire catholique, *Saint-Patrick College*, fondé en 1795, l'un des plus célèbres centres des hautes études théologiques à l'époque de ce récit.

sous une cordialité apparente, la méfiance et le ressentiment que Dungillis avait lui-même manifestés. Un Anglais dément, avait-il dit au comble de la fureur.

Mais, il avait dit aussi : « Emmenez-le loin d'ici. » Ah ! comme elle aurait voulu pouvoir le faire !

Le père Carthy était un homme de haute taille, bâti comme un bûcheron, avec des mains durcies par le cal. Les traits du visage étaient lourds, avec une expression à la fois morne et soucieuse. L'accent était rugueux.

— Concernant l'affaire dont vous m'avez parlé ce matin, dit le père Carthy en soufflant un nuage de fumée bleutée, je vous l'ai déjà dit ; depuis que j'ai pris cette paroisse en main il y a douze ans, il n'y a plus de Hooley. Mais, j'ai discuté avec deux ou trois vieilles femmes qui se souviennent parfaitement de cette famille. Il y a une trentaine d'années, les Hooley ont émigré en Amérique où, apparemment, ils ont réussi, ce qui fait qu'ils n'avaient plus rien à voir avec un patelin aussi misérable que le nôtre. En tout cas, personne depuis n'a entendu parler d'eux.

— Et, selon vous, il n'y a aucun moyen de les localiser ? demanda Harley, manifestement déçu.

— Vous pourriez évidemment aller vérifier en Amérique, mais c'est vaste, et la moitié de l'Irlande est allée s'y installer.

— Et si vous poursuiviez votre enquête...

— D'accord ! C'est une faible compensation à votre générosité. Mais, si la veuve Rahilly ne sait rien des Hooley, il est vraisemblable que personne d'autre dans le comté n'en saura davantage. Si quelqu'un pouvait nous donner une indication, ce serait la veuve Rahilly. Elle a connu les filles Hooley dans son enfance, il y a plus de cinquante ans. Elle m'a justement parlé du gros scandale que l'une d'elles avait causé.

— Ha ! De quoi s'agissait-il ? intervint vivement Harley.

— Oh ! une aventure vieille comme le monde et qui relève de la faiblesse des femmes ! Soit dit sans vous offenser, mademoiselle, fit l'autre, brandissant sa pipe comme pour se défendre, c'est banal, le scandale d'une petite paysanne déshonorée par un homme déloyal. A moins que l'homme ne soit d'un certain niveau social.

Sa voix avait gardé la même monotonie d'expression, mais Bella y décela cependant une note sarcastique. L'homme hésita, reprit :

— D'après les racontars, l'homme aurait été ni plus ni moins le fils aîné et l'héritier du marquis.

— De Kheilleagh, voulez-vous dire ?

— Oui, de Kailey. Il semble qu'il ait emmené la jeune fille avec lui et qu'il l'ait abandonnée quelque part à l'étranger. Et il revint au pays peu après, sans elle. Quelques semaines encore, et il se tuait à la chasse. On prétend que le père est mort de chagrin et que c'est le frère cadet qui a hérité du titre.

— A cette époque, les Hooley vivaient donc encore ici ? demanda Bella.

— Oui.

— Et ils n'ont pas élevé de protestations en faveur de leur fille ? Ils ont sûrement voulu savoir ce qu'il était advenu d'elle ?

Le père Carthy esquissa un sourire qui n'adoucit pas ses traits.

— A cette époque, à Kailey, on n'était pas empressé pour adresser des requêtes ou des réclamations au château. Et pour un problème touchant à ce que la noblesse considère comme son honneur...

— Vous faites allusion à une jeune fille séduite, interrompit Harley. Là, vous vous trompez, car il y avait eu mariage.

— Entre un noble protestant et une catholique, fille du peuple ? Pas dans une paroisse du comté, sûrement pas ! Sinon, cela se serait su.

— Il y a eu mariage, je vous le dis. Je vais vous révéler où est mon intérêt dans cette histoire, père Carthy. Mary Hooley était ma mère. Et mon père était Ronald, comte de Westport.

Le prêtre le scruta à travers un nuage de fumée.

— Maintenant que vous m'en parlez..., il me semble avoir entendu une allusion de la sorte.

— Ma mère n'était pas le genre de femme à céder à un homme qui n'eût pas été son mari, affirma Harley.

— Avec certains hommes, la jeune fille a plus de mal à jouer son rôle. Ils font de belles promesses, et on les croit.

— Dans le cas de ma mère, c'est hors de propos, je vous le garantis.

— Il est vrai que la veuve Rahilly a insisté sur le fait que la jeune fille était de bonne moralité et douée d'un caractère solide.

— Exactement !

— Les Hooley ont quitté l'Irlande pour l'Amérique il y a une trentaine d'années, disiez-vous ? demanda Bella.

— C'est ce que m'a confié la veuve Rahilly.

— Avant la Famine (*), par conséquent ?

---

* La Grande Famine, catastrophe économique et tragédie humaine irlandaise qui dura de 1846 à 1849, tua

— Apparemment, oui, puisqu'il y aura trente ans cette année que cette calamité s'est produite. Dieu nous épargne une nouvelle épreuve de ce genre !

— Et pourtant, les émigrations vers l'Amérique se sont surtout faites après la Famine, n'est-ce pas ?

— Oui. Les gens sont partis totalement découragés.

— Mais ce n'était pas la raison du départ des Hooley. Et, selon vous, ils sont partis tous ensemble — sans envoyer quelqu'un en avant-garde pour gagner le prix du voyage ainsi que la plupart des familles l'ont, paraît-il, fait ? Ils ont dû avoir les moyens d'agir ainsi — beaucoup plus de moyens qu'on ne pouvait en escompter dans une famille aussi pauvre.

— Vous laissez entendre qu'ils ont pu obtenir l'aide des gens du château, si je saisis bien ? insinua le prêtre. Les tenir à l'écart afin d'étouffer le scandale ? Ce serait assez vraisemblable.

Harley comprit également, mais il en conclut autre chose :

— Mais oui, c'est certainement cela ! s'écria-t-il. Les Malindine les auraient payés et se seraient débarrassés d'eux en les éloignant dans le but de les empêcher d'étayer les revendications de leur fille. Une famille de paysans à leur porte, ayant pour atout les liens d'un mariage : c'était plus qu'ils n'en pouvaient supporter ! S'il était besoin d'une preuve supplémentaire, la voici !

Lui, en tout cas, n'en avait nul besoin, pensa Bella puisqu'il était déterminé à tout retourner de la manière qui l'arrangeait. Elle n'avait rien gagné à s'imposer

---

un million et demi d'autochtones et en fit émigrer un million, surtout à destination des Etats-Unis, émigration massive qui se poursuivit jusqu'en 1851.

cet entretien, et l'odeur de la pipe lui donna la nausée. La tête lourde, elle se leva :

— Si vous voulez bien m'excuser, je vais monter dans ma chambre. Le prêtre acquiesça tout en tirant sur sa pipe.

— Naturellement, ma chérie, fit Harley. A propos de cette veuve... Comment s'appelle-t-elle, père Carthy ?

Tout le reste de l'après-midi, Harley demeura préoccupé mais gai. Il fredonnait un air d'Offenbach lorsqu'il descendit dans la salle à manger le soir. Il admira le rôti de porc lorsque le maître d'hôtel le servit. Au même moment, survint Malone.

— Puis-je me permettre de vous déranger un instant, monsieur Harley ?

— Aussi longtemps que vous le désirerez..., mais n'oubliez pas que le grand air irlandais creuse et que votre chef encourage la gourmandise.

L'autre ne sourit pas comme Bella s'y attendait.

— Simplement, il faut que je vous prévienne que j'aurai besoin de vos chambres dès demain, dit-il. Elles ont été réservées il y a longtemps, vous comprenez. Cela ne me plaît pas de vous chasser, vous et mademoiselle Harley, mais...

— Il faut tenir vos promesses, ce qui me paraît normal. Peu importe, installez-nous dans d'autres chambres à l'étage, elles sont inoccupées, n'est-ce pas ?

— Pour aujourd'hui, en effet, admit l'autre, gêné. Mais, elles sont retenues dès demain.

— C'est... vrai ? demanda Harley en le fixant.

— Je n'oserais pas vous mentir, monsieur !

— Ce n'est pas mon avis, et vous mentez même

fort bien. Peu importe d'ailleurs ! Si vous voulez bien nous laisser dîner tranquillement...

Le patron s'éloigna, suivi du maître d'hôtel. Bella chercha le désappointement sur la figure de son père ; mais non ! Harley paraissait joyeux, enthousiaste même !

— Tu te rends compte qu'il a menti, Arabella ? Il n'y a aucun client attendu, et l'on nous renvoie.

— En effet, papa !

— Nous trouverons un autre logement.

D'un seul coup, elle vit s'évanouir ses visions d'un retour en Angleterre, des joies paisibles de Streatham.

— Mais, les autres hôtels sont sinistres, tenta-t-elle de protester. On les voit d'ici. Te rappelles-tu cette porte entrebâillée devant laquelle nous sommes passés hier..., et le cochon qui courait à l'intérieur de l'immeuble, dans le couloir ?

— Je ne partirai pas, affirma-t-il, obstiné. Ils ne parviendront pas à me chasser de Kheilleagh.

## CHAPITRE VII

Pour le deuxième matin de suite, Harley quitta l'hôtel sans dévoiler sa destination. Il n'avait rien perdu de sa bonne humeur de la veille et il déjeuna copieusement. Cette fois, il s'inquiéta de savoir si sa fille se débrouillerait seule, mais il écouta distraitement son affirmation à ce sujet.

En sortant de l'hôtel, Bella avait l'intention de monter directement au château, peut-être même d'explorer le donjon en ruine qui ne faisait plus partie du bâtiment proprement dit. Le soleil brillait, chaleureux ; des vaches paissaient, paisibles, dans un pré limité par un muret de cette pierre blanche que l'on voyait partout dans la région, et, dans les cieux, l'hirondelle chantait sans se soucier du reste.

Le sol était rude, mais Bella étant bien chaussée, cela ne la gênait pas. Elle vit des ajoncs aux pointes dorées, puis une bande de terrain où des jacinthes tardives se mêlaient à d'autres floraisons dans une débauche de rouge et de bleu, effaçant la moindre tache de verdure.

Accaparée par ce spectacle, elle ne prêta d'abord pas attention au claquement des sabots de cheval sur la route venant de Kheilleagh. Lorsqu'elle se retourna enfin, le cavalier était près d'elle, retenant sa monture avant le pont. A cause du soleil, elle eut du mal à le distinguer.

Dès que son regard se fut accommodé de l'éclat du soleil, elle vit que ce n'était pas lui. Cet inconnu, beaucoup plus blond que Dungillis, mit pied à terre et se découvrit. Il portait une veste beaucoup plus élégante que celles de Dungillis et il balançait une petite canne incrustée d'argent.

— Bonjour, mademoiselle, fit-il, le ton aimable, l'accent sympathique. Quelle journée magnifique, n'est-ce pas ?

Bien que ne l'ayant jamais vu, elle lui trouva une allure familière. Cette chevelure claire et ces favoris dorés, cette moustache frisée ; oui, l'homme était indéniablement beau. Il salua avec élégance.

— Billy Malindine, pour vous servir, annonça-t-il.

Ce qui expliquait cet air de famille : c'était *lord* William Malindine, le frère cadet du marquis. Une fois qu'on l'avait décelée, la ressemblance était incontestable. Les traits étaient identiques ; la différence venait seulement de la couleur des cheveux. Le teint de ce jeune homme était aussi plus clair que celui de son frère, ce qui le faisait paraître plus jeune et plus ouvert. Quant à l'expression, c'était celle de l'amabilité — cet homme souriait plus souvent qu'il ne se renfrognait.

Bella se sentit troublée et mal à l'aise. Elle flânait sur une propriété privée ; elle avait entendu Mme Dennison mentionner que le pont était strictement réservé aux Malindine et à leurs invités. Pendant qu'elle cherchait une remarque à émettre, il continua, courtois et cordial :

— Et moi, je sais que vous êtes la belle et jeune

visiteuse venue d'Angleterre qui est descendue au *Royal* en compagnie de son père. Je suis absolument enchanté de faire votre connaissance, mademoiselle Harley.

De quoi accroître la confusion de la jeune fille ! En somme, elle s'était trompée en s'imaginant que les « événements » survenus en ville mettraient un certain délai à parvenir aux oreilles des habitants du château. Et si l'on en avait assez dit pour qu'elle fût identifiée aussi facilement, il était probable que d'autres détails avaient également été révélés — celui surtout, si amusant, concernant la revendication de Harley au titre de marquis de Kheilleagh.

La jeune fille tourna la tête afin de dissimuler son visage sous le rebord de son chapeau et s'efforça au calme pour dire bêtement :

— Je vous remercie, *lord* William.

— Appelez-moi Bill, si vous voulez bien, répondit-il avec un sourire qu'elle aperçut du coin de l'œil. Etes-vous montée jusqu'au château ?

— Non... Je me suis contentée de me promener sur la route en venant de la ville et de redescendre par ce chemin. En avais-je le droit ?

— Absolument ! Mais, vous auriez dû entrer nous faire une visite. Enfin, pour cette fois, c'était mieux ainsi puisque je n'étais pas au château. Mais, la prochaine fois, ne manquez pas d'entrer. Nous enverrons une voiture vous chercher, parce que, à pied, la montée est fastidieuse.

— Oh ! j'aime la marche !... Mais, merci pour l'invitation, à laquelle il me sera impossible de me rendre cependant. Nous devons quitter Kheilleagh prochainement — demain peut-être.

— Je suis navré de l'apprendre, mais, demain,

c'est encore loin. Si vous veniez avec votre père prendre une tasse de thé cet après-midi ?

— Je crains que ce ne soit difficile. J'ai les bagages à faire...

— Je compte alors sur vous lors de votre prochaine visite dans la région. Dans peu de temps, j'espère ?

— Eh bien..., je ne crois pas que nous reviendrons jamais à Kheilleagh !

— Pour nous, ce serait catastrophique, mais l'avenir vous démentira peut-être, qui sait ? fit-il en souriant. Je ne puis croire que cette rencontre fortuite soit si fugitive.

Il était charmant, mais elle n'en était pas moins embarrassée et ennuyée.

— Il faut que je parte, mon père doit m'attendre.

— Dans ce cas, au revoir, mademoiselle.

Il se remit en selle et s'éloigna après avoir salué. Plantée sur le pont, Bella le regarda s'éloigner.

Elle repartit vers la ville, zigzaguant entre les flaques d'eau.

Soudain, quelqu'un derrière elle l'interpella :

— Arabella !

En se retournant, elle vit son père qui accourait pour la rattraper.

— J'ai de bonnes nouvelles, ma chérie. Je t'avais dit qu'on ne me chasserait pas de Kheilleagh.

— Tu n'as tout de même pas retenu des chambres dans l'un de ces hôtels ? fit-elle, désespérée.

— Non, bien sûr, il n'en était pas question ! Ce sont de véritables nids à punaises... En revanche, j'ai confié nos difficultés aux Dennison qui ont insisté pour nous héberger au presbytère. Monsieur Dennison viendra avec sa charrette pour nous aider à déménager aussitôt après le déjeuner.

Madame Dennison conduisit Bella dans une chambre, laquelle était petite mais jolie, avec des rideaux et un couvre-lit en chintz imprimé, de petits tableaux représentant des paysages méditerranéens au mur, un cabinet de toilette et une coiffeuse avec une psyché. La pièce était en façade, à l'étage du presbytère, dominant la rivière et la colline jusqu'au château. Les nuages étaient revenus, formant une masse menaçante et noire à l'ouest. Sous le ciel obscur, le château se dressait, massif et hideux. Bella dévisagea son hôtesse — c'était la première fois qu'elle avait l'occasion de lui parler seule à seule :

— Chère madame, je vous suis infiniment reconnaissante de la générosité dont vous faites preuve en nous offrant l'hospitalité, d'autant que vous nous connaissez peu.

Madame Dennison hocha la tête. Sa chevelure grisonnante était soigneusement coiffée en boucles qui retombaient d'un chignon fixé haut. Bella savait qu'elle disposait d'une femme de chambre d'origine française.

— Ma générosité n'est pas aussi grande que vous l'imaginez, confia-t-elle. Nous sommes très seuls ici, Andrew et moi. Nous n'avons pratiquement pas d'autres relations que les Dungillis. Vous savez, il n'est pas facile, dans un pays comme celui-ci, d'être l'épouse d'un pasteur protestant — pas plus que d'être le pasteur lui-même. Et ma santé n'améliore pas la situation. Tenez, je n'ai pas dormi plus d'une heure cette nuit avec les douleurs de mon dos.

Visiblement, elle eût aimé à être questionnée à propos de son dos douloureux ; en d'autres circonstances, Bella aurait joué le jeu, mais, en l'occurrence, elle était résolue à discuter de ses problèmes personnels.

— Non ; c'est très généreux, s'obstina-t-elle. Mais, mieux vaut que vous le sachiez..., notre présence chez vous ne sert pas les intérêts de mon père.

Madame Dennison baissa le nez sans souffler mot.

— Mon père est un brave homme, honorable et intelligent, mais il a une faiblesse. Vous le savez, puisqu'il l'a exprimée devant vous : c'est cet entêtement à revendiquer ses droits sur le titre et les biens de Kheilleagh. C'est d'ailleurs la seule folie que l'on puisse lui reprocher.

— J'en suis convaincue, ma chère enfant. Si nous n'avions pas eu bonne opinion de votre père, nous ne lui aurions pas proposé de s'installer chez nous.

— Mais, il sera forcément déçu. J'espère seulement que cela se fera en douceur. C'est pour cela que j'ai été contente quand on nous a priés de quitter l'hôtel. Je comptais que cela nous obligerait à retourner en Angleterre.

— Si le rêve de votre père est assez fort pour cela, ça n'aurait pas suffi à faire place à la réalité tout de même ?

— Sans doute avez-vous raison. Je me demande du reste à présent si quoi que ce soit parviendra à ramener mon père à la lucidité. Du moins aurait-on pu mettre fin à ses espérances immédiates. D'accord ! il poursuivra son rêve tout éveillé, mais c'est sans dommages ! Et il aurait évité les chocs, les insultes, tout ce qui risque désormais de pleuvoir sur lui. Le marquis s'est trouvé sur notre chemin l'autre soir. Mon père n'en a pas parlé, mais l'affrontement fut très déplaisant.

— Nous en avons eu des échos. Il se passe peu de choses dans la région qui restent secrètes, ne l'oubliez pas.

— Ensuite, il y a eu la colère que *sir* John a

piquée contre mon père et dont vous avez été témoins. Enfin, notre expulsion de l'hôtel. Si mon père reste ici, il a des chances de subir d'autres humiliations, pis peut-être.

Madame Dennison s'avança et saisit les mains de la jeune fille entre les siennes.

— Chère Bella, je comprends votre souci. Mais, vous avez tort en souhaitant que votre père retourne rapidement en Angleterre. Ses idées sont peut-être insensées, mais elles sont fermement ancrées en lui, et toute opposition ne fait que les renforcer, vous l'admettez ?

— Oui, mais...

— Venir à Kheilleagh, voir le château, être insulté par le marquis : tout cela n'a fait que le convaincre qu'il avait raison dans ses revendications. Et il n'y renoncerait pas, même si on le contraignait à partir maintenant. Au contraire, il s'enfoncerait davantage encore, par le truchement d'un avocat qui lui raflerait sa fortune peut-être.

— Oh ! il n'a pas de fortune à rafler, mon père ! fit remarquer Bella en souriant.

— Dans ce cas, il serait encore plus désespéré et plus frustré. Je vous assure qu'il vaut mieux qu'il reste ici actuellement. Pour le moment, il voit des conspirations imaginaires, et cela le rend plus obstiné. Il disait à mon mari sa conviction d'avoir été expulsé de l'hôtel à la demande du marquis.

— C'est absurde !

— En effet !

— Je sais, parce que... j'ai l'impression que c'est l'œuvre de *sir* John, et je vous le dis, bien que connaissant vos liens d'amitié avec lui. Je l'ai vu discuter avec le directeur de l'hôtel après avoir tenté de m'encourager à quitter Kheilleagh avec mon père.

— C'est possible, reconnut la femme du pasteur. John est très entêté et a la manie de fourrer son nez partout. Nous le déplorons, mais il s'obstine à intervenir, dans les expulsions, par exemple, à harceler Purdy et même le marquis, ce qui, d'après mon mari, ne fait qu'aggraver la situation. Il s'agit de locataires dépendant de Kheilleagh ; le marquis ne tolérera pas que l'on s'interpose dans ses affaires. John cherche trop à atteindre son propre but pour se rendre compte qu'il ne peut que se nuire à lui-même comme à ceux qu'il cherche à défendre.

— Je le crois volontiers.

— Son grand cœur l'entraîne trop loin.

— Il ne s'est pas montré tendre envers mon père !

— Au fond, il n'a pas été méchant. Mais, n'oubliez pas que c'est un nationaliste irlandais, un autonomiste. Certains ont même prétendu que c'était un *fenian,* mais c'est grotesque ! Il est passionnément en faveur de l'Irlande et des Irlandais, et il se méfie de l'Angleterre. Pour lui, votre père n'est pas qu'un brave homme un peu excentrique, mais un intrus qui insulte à la fois l'Irlande et la famille Malindine.

— Je ne pensais pas qu'il avait tant d'affection pour les Malindine.

— Il ne les aime pas personnellement. Mais, il y a trois cents ans que les Malindine et les Dungillis vivent dans cette région pratiquement côte à côte. Il tient aussi jalousement à leur nom et à leur lignée qu'aux siens — et il prend cela très au sérieux, je vous le garantis. Ce qui fait que votre père le gêne sur deux plans. Mais, ce n'est qu'un caprice auquel il ne faut pas prêter attention, parce qu'il passera.

— Je me moque de ses caprices, comme de ses passions et de ses haines ! répondit Bella. En revanche, je déteste ce qu'il a fait à mon père, même si j'ai été ravie qu'il ait eu le moyen de l'obliger à rentrer en Angleterre.

— Moi, je suis contente que vous ne partiez pas, insista Mme Dennison. Je suis sûre que c'est préférable pour votre père. Se croyant persécuté, il est pour l'heure surexcité, mais cette surexcitation s'atténuera. L'Irlande a le don d'apaiser les fièvres... Il y aura d'autres petits affrontements jusqu'à ce que les gens s'habituent à votre père. Ils ricaneront un peu derrière son dos, rien de plus. Jamais plus on ne jettera son chapeau dans la rivière.

Elle souriait, et Bella réussit à lui répondre par un sourire.

— A mesure que le temps coulera, enchaîna Mme Dennison, ses idées de persécution et de conspiration disparaîtront, car rien ne viendra les entretenir. Il finira par se lasser de fouiner dans le passé, n'en tirant aucune satisfaction. C'est alors que vous pourrez le persuader de repartir pour l'Angleterre.

— Pourvu que vous ne vous trompiez pas ! fit Bella, incrédule.

— Je suis sûre de la justesse de mon raisonnement. Et, personnellement, je suis enchantée de vous avoir ici tous les deux. Andrew a peu l'occasion d'avoir de ces entretiens qui plaisent aux messieurs, et moi..., eh bien, j'avoue que je suis fatiguée de ruminer seule mes souvenirs et mes maux ! s'écria-t-elle en riant.

L'image de ces deux êtres mariés depuis si longtemps et pourtant si seuls était attristante.

— Vous êtes... vous êtes si... si bonne !.. balbutia Bella.

— Mais non ! Je vais vous laisser vous installer. Voulez-vous que je vous envoie Adèle pour vous aider ?

— Non ; je vous remercie, je me débrouillerai parfaitement. Quand monsieur Dennison nous a amenés chez vous, avec nos bagages, *sir* John quittait justement votre maison, n'est-ce pas ?

— Oui, il était entré en passant.

— Lui avez-vous raconté que nous résiderions chez vous ?

— Effectivement.

— Je serais navrée que vous vous fâchiez avec votre ami à cause de nous. Etes-vous certaine que... ?

— John ne reste jamais longtemps fâché... en admettant qu'il l'ait été. Nous le connaissons bien !

— Il y a aussi le marquis.

— Lui aussi ne compte pas, rétorqua Mme Dennison, non sans amertume. Vous n'avez pas à vous tracasser de tout cela, je vous le jure !

## CHAPITRE VIII

Le lendemain après-midi, Bella se rendit en voiture, avec Mme Dennison, chez les Gillis. Pendant le trajet, Mme Dennison évoqua le fils du marquis. Certains s'étaient imaginé que, sous l'influence de sa femme, il se révélerait moins tyrannique que son père, mais Agnès Dennison n'avait, pour sa part, jamais partagé cette opinion. Le bruit courait que la marquise était douce et bonne, mais Donald Malindine était taillé dans le même bloc de pierre que son père.

La cruauté et l'orgueil étaient profondément ancrés chez les Malindine, et nulle belle épouse, aussi bien intentionnée fût-elle, n'était vraisemblablement en mesure de les modérer. La mère de l'actuel marquis en avait fourni la preuve. Personne, en effet, n'ignorait que la brutalité de son mari l'avait rendue folle. Agnès ajouta qu'à son avis la marquise avait définitivement perdu la tête en découvrant des traits de caractère identiques chez son fils aîné.

— Etait-elle réellement folle ? demanda Bella. Le journal ne fait mention que d'une longue maladie.

— Elle était folle et internée — comme l'était la

femme de Rochester dans le roman *Jane Eyre* (*). Elle a aussi tenté d'incendier le château, c'est ce qui a dénoncé sa démence. Ils l'avaient installée dans une chambre de la tour où elle a vécu pendant des années, — elle y était encore quand nous sommes arrivés — et elle est morte un ou deux ans après. L'histoire des Malindine est dominée par une méchanceté triomphante. Dans le pays, la légende veut qu'ils soient sous la protection du diable. C'est idiot, naturellement, et seuls les illettrés catholiques y croient, mais il faut admettre que ceux qui ont réussi sont les plus terribles, alors que le sort a été nettement défavorable aux autres. Ronald, par exemple, dont votre père revendique la succession, c'était un homme bien, un bon Malindine à tous points de vue, et il a été tué avant d'avoir pu porter son titre. Billy serait, paraît-il, un garçon loyal, mais il est le cadet. De toute façon, au château de Malindine, les impies seuls poussent comme la mauvaise graine.

Madame Dennison s'exprimait avec virulence, sans cacher la haine que lui inspirait le marquis. Bella pressentit qu'elle ne serait pas mécontente d'ennuyer les châtelains en hébergeant quelqu'un que le marquis considérait comme un gêneur. Et son mari avait sans doute les mêmes sentiments.

Mais, dans l'affaire, Bella vit fondre ses espérances d'éloigner rapidement son père de Kheilleagh. Elle décida de ne plus s'en préoccuper provisoirement et de contempler la campagne. Depuis un moment, la carriole avançait entre une pente rocheuse et la rive

* Ecrit en 1847, c'est le roman autobiographique de Charlotte Brontë (1816-1855), romancière d'origine irlandaise par son père, le révérend Patrick Brontë. Un an avant sa mort, elle épousa le révérend Nicholls, assistant de son père.

marécageuse de la rivière. Mais, plus loin, s'étendaient des champs et des pâturages, un bosquet aussi qui dissimulait à demi une maison.

— Voici la demeure des Gillis, signala Agnès Dennison.

— Je me rends compte maintenant que j'ai vu peu d'arbres dans la région, remarqua Bella.

— Ils sont effectivement peu nombreux dans cette partie de l'Irlande. Et quand il y en a, ils indiquent la propriété d'un gentilhomme.

— Il n'y en a pas près du château.

— Non. Le château a été conçu comme une forteresse ; des arbres auraient pu masquer la présence d'éventuels assaillants.

— Mais, c'était... dans un passé lointain ? Des centaines d'années, non ?

— Pas si lointain que cela. Il n'est peut-être plus nécessaire aujourd'hui de craindre l'attaque d'une armée étrangère, mais il reste les locataires. Les Malindine ont toujours préféré être redoutés plutôt qu'aimés.

La veille au soir, un messager — un palefrenier chevauchant un âne — était venu apporter l'invitation des Gillis, et il s'était attardé plus d'une heure à bavarder dans la cuisine avant de repartir avec la réponse. On avait prié Mme Dennison d'amener Mlle Harley pour le thé. Ecrite par Constance, la lettre mentionnait incidemment que John était retenu ailleurs par ses affaires pendant un jour ou deux.

— John est donc encore absent ? s'enquit Mme Dennison. Il doit être surchargé actuellement.

— Hélas ! oui ! s'écria Constance, l'air exaspéré. C'est à cause de cette histoire d'autonomie pour laquelle il est passionné. Il envisageait ces temps-ci de poser sa candidature au Parlement de Londres, le croiriez-vous ?

— Membre du Parlement, voilà une ambition légitime.

— Pour quelqu'un qui disposerait d'un revenu personnel confortable, oui. Nous, nous tirons notre subsistance de la terre, ce qui n'est pas conséquent. Il faudrait avoir l'œil, non seulement sur notre ferme personnelle, mais aussi sur nos occupants-locataires de la vallée.

— Il s'entend bien avec les cultivateurs à bail, je le sais.

— Oui, quand il discute avec eux de la pluie et du beau temps, des gloires de l'ancienne Tara, de l'avenir magnifique qui attend l'Irlande libérée du joug anglais. Ah ! excusez-moi, mademoiselle Harley !

— Je vous en prie. Selon moi, les Irlandais devraient avoir leur Parlement.

— Oh ! tout cela est si complexe et si insensé ! Enfin, cela occupe John... Et, à vrai dire, il n'en néglige pas pour autant ses tâches. Si nous tirons le diable par la queue, seule la pauvreté du sol en est responsable. Il est impossible d'en puiser les moyens de vivre convenablement sans pressurer les malheureux qui travaillent cette terre, et, à ce petit jeu-là, les Dungillis n'ont jamais été très forts. Venez plutôt vous asseoir, on va servir le thé.

Constance servit le thé accompagné de tranches d'un gâteau riche, et la conversation s'anima. Bella se rendit compte aussitôt qu'elle était sur la défensive, en particulier à l'égard de Constance. Elle préférait Maud, et elle fut contente quand celle-ci l'emmena faire le tour du jardin, tandis que Mme Dennison décidait de rester à l'intérieur à cause du rhumatisme qui lui rendait la marche pénible. Le jardin s'étalait derrière la maison en éventail que limitaient des murs de pierre blanche sur les flancs et qui ouvrait à son extrémité sur la vallée, les collines et, dans le lointain, la rivière.

— Il date du temps de notre arrière-grand-père, quand nous avions assez de fortune pour faire de l'élégance, dit en souriant Maud. En dehors des Malindine, personne ne possède aujourd'hui quoi que ce soit, et ceux-là, ce qu'ils ont, ils le gardent. Ils faisaient les paons, et c'est peut-être là l'ennui — les paons ont la réputation de porter malheur, non ?

Quand Maud aborda le sujet de Harley, Bella n'en prit pas aussitôt ombrage.

— Comment votre père a-t-il eu connaissance de ses liens avec Kheilleagh ? Enfin, si vous ne désirez pas en parler, dites-le-moi franchement, nous bavarderons d'autre chose.

Bella lui raconta comment son père était par hasard tombé sur le journal relatant la mort du marquis précédent et signalant le détail de la prononciation du nom sur le plan local, ce qui avait ravivé les souvenirs des réflexions de la grand-mère de Bella. Celle-ci alla jusqu'à montrer le portrait du médaillon.

— On a toujours raconté que les filles Hooley étaient des beautés, mais celle-ci devait être le fleuron de la famille.

— Vous connaissez donc l'histoire ?

— Il m'est arrivé d'entendre les vieillards faire allusion aux filles Hooley. Quant à *elle*, mon père, de son vivant, en a parfois parlé. Encore qu'il le faisait quand il croyait que je n'écoutais pas — c'était un sujet qu'il considérait comme peu convenable. Votre père semble persuadé que le comte de Westport avait épousé votre grand-mère, ce qui ferait de lui l'héritier de droit ?

— Oui. Mais, il a depuis toujours le sentiment d'être de haute lignée. Il cherchait ses origines familiales parmi les pairs d'Angleterre, et cet entrefilet de journal a tourné son imagination vers l'Irlande.

Elle s'étonna de discuter aussi volontiers de cette affaire avec Maud.

— Mais, vous, Bella, vous n'avez pas la même conviction ?

— Comment le pourrais-je ? Il n'existe pratiquement aucune preuve ni aucun point permettant d'envisager cette éventualité sérieusement.

— Je suis contente, car vous avez raison, naturellement, fit Maud en lui étreignant le bras. En d'autres circonstances, ce serait assez invraisemblable, et en ce qui concerne les Malindine, c'est impossible ! Ils ont un orgueil insensé — ils se montreraient protecteurs à l'égard de la reine elle-même si elle avait la folie de leur rendre visite. Séduire une jolie fille, d'accord, mais l'épouser, jamais ! Et il est reconnu que votre grand-mère avait fui avec le jeune homme avant le mariage, ce qui la perdait de toute façon. Sa réputation envolée, elle n'avait plus prise sur lui.

— Je m'en rends compte, mais ce n'est pas le cas de mon père. Et, à mon sens, c'est plus fort que lui. Le fait qu'il soit venu ici va-t-il mettre les Malindine en furie ? Je sais que votre frère en est très mécontent.

— Non, John n'est pas en colère. Et je doute que pareille affaire soulève la fureur des Malindine. Ils considéreraient que c'est s'abaisser... Ils se contenteront d'ignorer monsieur Harley tout comme ils ignorent tout ce qui vit sur cette colline. D'ailleurs, en Irlande, les revendications non réellement fondées ne sont pas prises en considération, parce qu'elles sont trop banales.

Bella comprit qu'en fait Maud cherchait surtout à la rassurer pour le cas où elle se ferait du souci à propos de l'excentricité de son père et des réactions que cela pourrait déclencher dans la population. L'affection qu'elle portait à son père la rendait moins vulnérable sur ce plan que ne l'imaginait Maud, mais elle fut touchée de la bonté de la jeune fille.

— Personnellement, ce séjour à Kheilleagh m'enchante, déclara-t-elle.

— Ah ! tant mieux ! bien que l'endroit soit assez morne, hélas ! Enfin, vous serez là pour la course au clocher qui a lieu samedi. Les chevaux n'y obtiennent aucune récompense, mais c'est mieux que rien. Autrefois, il y avait un bal le soir au château, mais le vieux marquis a mis fin à cette coutume depuis des années. Peut-être en raison des frais que cela lui occasionnait, à moins que ce ne soit par crainte de laisser au milieu de la foule pénétrer chez lui quelqu'un qui le tuerait. Il savait à quel point on le haïssait. Mais il a vécu très vieux et il est mort dans son lit.

Bella avait déjà compris que les Malindine étaient détestés par leurs voisins, mais elle s'étonna de remarquer une telle virulence chez une fille aussi douce que Maud.

— Les Malindine sont-ils tous haïs ? demanda-t-elle. *Lord* William, que j'ai rencontré l'autre jour, ne m'a pas paru odieux.

— Billy est, en effet, plutôt sympathique. De même que Clara, que l'on voit rarement, car Donald la tient aussi serrée que son père le faisait pour sa pauvre épouse folle... Tiens, il pleut ! Rentrons, Bella, voulez-vous ?

# CHAPITRE IX

Il plut toute la matinée du samedi — une pluie diluvienne qui dégringolait d'un ciel noir comme le trop-plein de quelque immense lac céleste. Mais, vers midi, l'ondée s'arrêta. Vers quatorze heures, Danny emmena les Dennison et les Harley à la réunion des courses.

La fête avait lieu à l'ouest de la ville, dans les champs bordant la route menant à la côte. On avait dressé plusieurs grandes tentes dans les prés. Deux cordes tendues marquaient le départ et l'arrivée alors que le reste du parcours était signalé par une série de repères. Il devait y avoir quatre courses, qui se succéderaient à trente minutes d'intervalle à partir de quatorze heures trente. En fait, les pauses duraient généralement au moins trois quarts d'heure et la dernière course n'avait jamais lieu avant dix-sept heures.

— C'est la plus importante, celle qui met en jeu la coupe Kheilleagh, expliqua Mme Dennison. Les autres courses sont plutôt réservées aux palefreniers et aux garçons de ferme de la région.

— Ils ont eu vite fait de dresser les tentes, observa Bella. Il pleuvait tout à l'heure encore.

— Si les Irlandais sont assez nonchalants d'une

façon générale, ils s'activent volontiers dans des occasions particulières, surtout quand ils croient agir pour une bonne cause. La tente la plus vaste, par exemple, doit abriter le bar. Pour les Irlandais, la course n'aurait pas d'intérêt si elle n'était un bon motif pour s'enivrer.

La foule présente était déjà considérable. Harley acheta des tickets d'entrée pour permettre à ses amis d'aller voir de près chevaux et jockeys et d'être mieux placés pour assister au déroulement de la course et, surtout, de l'arrivée.

Dennison et lui quittèrent leurs compagnes, mais celles-ci furent peu après rejointes par la famille Dungillis au complet.

Les jeunes filles furent aimables comme à l'accoutumée, et Constance plutôt volubile, mais John, la mine soucieuse, parla peu. Bella, qui s'était, en le voyant, préparée à un assaut verbal en fut déconcertée. Egalement consciente du laconisme de son frère, Constance fit de son mieux pour l'encourager à la conversation.

— John ne nous est revenu que ce matin, et il insiste pour participer à la course de la coupe Kheilleagh avec un cheval qui a passé des journées à parcourir les routes. Il n'a aucune chance de gagner, et je parie qu'il sera de mauvaise humeur s'il perd ! affirma-t-elle.

— Je n'ai pas encore perdu, riposta-t-il, désignant le grand cheval bai qu'un lad tenait à proximité. Cormac est en excellente forme. Il s'est contenté de suivre au petit pas la route venant de Glennaveela, et il a dormi au sec la nuit dernière.

— Mais, il a fait ses dix kilomètres sous la pluie ce matin, objecta Constance. Toi-même, tu étais trempé !

— Assez avec tes remontrances ! fit-il, mi-figue, mi-raisin. Si, selon toi, je n'ai aucune chance, garde tes sous, sinon c'est Paddy O'Hara qui sortira gagnant de l'affaire.

O'Hara devait être le bookmaker, se dit Bella, l'un de ceux qui, nombreux, avaient disposé une table à proximité du débit de boissons. Les jeunes filles bavardèrent avec Mme Dennison d'un problème local tandis que Dungillis s'adressait à Bella :

— Alors, vous êtes toujours à Kheilleagh.

— Comme vous le voyez, oui !

— J'en suis content.

— Tiens ! je ne m'en serais pas doutée !

— Oh ! j'ai du mal à m'exprimer, et il m'arrive de dire les choses brutalement ! Mais, il faut me croire, à présent.

Bien que ses sœurs ne fussent pas à portée de voix, Bella baissa le ton :

— Un homme simple et rude qui a de bonnes intentions ? Ce n'est vraiment pas du tout sous cet angle que je vous vois, *sir* John. Pour moi, vous êtes quelqu'un qui est collet monté et qui s'efforcera par tous les moyens d'atteindre son but, précisa-t-elle, en sorte qu'il comprit l'allusion indirecte à son intervention auprès du directeur de l'hôtel Royal. Et un être doué d'un mauvais caractère auquel il se laisse trop volontiers aller.

— Si vous pensez que...

Il s'interrompit lorsqu'une voix s'interposa. En se tournant, Bella vit s'approcher *lord* William.

— Mademoiselle Harley..., je vous ai reconnue malgré ce lourdaud planté devant vous qui me bouchait la vue ! s'écria-t-il, avec un sourire à l'adresse de Dungillis. Sachez que je suis ravi de constater que vous n'avez pas mis à exécution votre menace de nous quitter.

— Merci, *lord* William, fit-elle en souriant.

— Billy pour vous, je vous en prie. Seuls m'appellent *lord* William ceux qui encaissent une créance. Désormais, vous ne refuserez plus de venir en compagnie de votre père prendre le thé au château un après-midi, n'est-ce pas ?

La jeune fille répliqua :

— C'est très aimable à vous. Je transmettrai à mon père...

— Vous résidez maintenant au presbytère, si je ne me trompe ? Eh bien, c'est là que j'enverrai un message en bonne et due forme... Tu concours pour la coupe Kheilleagh, mon vieux ? dit-il à l'intention de Dungillis.

— Oui.

— Si on engageait personnellement un pari à ce propos ?

— Si tu veux.

— D'accord pour cinq livres ?

— Disons plutôt dix, rétorqua Dungillis, l'air maussade en face du souriant *lord* William.

— Marché conclu, Johnny. Au fait, est-il exact que tu te fasses appeler Sean, comme les paysans ?... Je vous salue, mademoiselle, en vous demandant de m'excuser. Il faut que je m'assure que mon cheval est là et qu'il n'a pas entre-temps trébuché sur une pierre. Je vous signale que c'est une jument du nom de Merrilegs, si vous voulez risquer un shilling dans les paris.

— Je n'y manquerai pas, assura Bella. Et je serai à l'arrivée pour vous encourager.

— Dans ce cas, je ne peux plus perdre... N'est-ce pas, Johnny ?

Bella retrouva son père en compagnie de ce prêtre, le père Carthy, et elle eut le sentiment qu'ils avaient détourné la conversation en la voyant s'approcher. Ils discutèrent des courses, et, le visage plus animé qu'à l'ordinaire, le prêtre proposa un tuyau pour la première.

— Et pour la coupe Kheilleagh, avez-vous un tuyau, mon père ? demanda Bella.

— Elle se disputera entre *lord* William et *sir* John, c'est certain.

Harley avait vainement interrogé les gens du voisinage sur Haggerty que le père Carthy lui avait signalé comme intéressant.

Peu après, il s'éclipsa — afin, dit-il, d'aller parier — mais son absence se prolongea. Nerveuse, Bella s'éclipsa à son tour pour aller à la recherche de son père.

Tout en se dirigeant vers la tente où l'on servait à boire, elle se garda de trop s'en approcher. Il rôdait alentour une foule de gens manifestement trop gais et trop bruyants. En les observant à distance, elle finit par repérer son père qui, debout près d'un muret, derrière la tente, discutait avec quelqu'un. Elle se demandait si elle allait le rejoindre lorsque, regardant vers elle, il lui fit signe de s'approcher.

— Arabella, écoute cet homme, fit-il, pressant, en lui étreignant le bras quand elle fut près d'eux. Haggerty, répétez à ma fille ce que vous venez de me dire.

De petite taille, l'homme avait soixante-dix ans environ, une figure burinée et brunie par le soleil, encadrée de favoris blancs. Lorsqu'il ouvrit la bouche, Bella constata qu'il était presque édenté.

— Bien entendu, Votre Honneur, parce que c'est la pure vérité. Je ne vous ai absolument pas menti...

Que les mots m'étranglent si cela ne s'est pas passé comme je vous le dis, ajouta-t-il en joignant les mains.

A en croire par son haleine, c'était plutôt le whisky qui risquait de l'étrangler, mais Harley insista :

— Il y a eu mariage, n'est-ce pas ?

— C'est vrai, oui. Et c'est le comte lui-même qui me l'a confié. Il avait laissé femme et enfant en Angleterre, avec l'intention de les ramener ensuite à Kailey. Mais, l'ennui venait du vieux marquis, un homme sinistre et fier. Le comte Ronald n'avait pas osé lui avouer la vérité, lui dire qu'il avait une femme et un fils quand il est revenu chez lui. Seulement le vieux marquis se mourait de jour en jour, personne ne l'ignorait. C'est alors que ce pauvre homme que l'on estimait a fait une chute de cheval et qu'on l'a transporté allongé sur une grille. Il est mort dans la nuit, et son père, deux semaines plus tard.

— Tu vois, tu vois, Arabella ! s'exclama Harley au comble de l'excitation.

Sa fille garda le silence, préférant ne pas souffler mot en présence de l'Irlandais. Mais, celui-ci ébaucha un salut :

— Si Votre Honneur veut bien m'excuser, j'ai quelqu'un à voir pour affaire.

— Je vous en prie, Haggerty, mais nous nous rencontrerons à nouveau.

— Quand il vous plaira, monsieur.

Il s'éloigna en roulant des épaules. Visiblement, celui qu'il cherchait était dans la tente où l'on buvait, et l'affaire en question s'accompagnait de whisky.

— Je sais que tu doutais, Arabella, dit Harley. C'était d'autant plus compréhensible que tu n'as jamais connu ta grand-mère. J'avoue que j'ai personnellement eu des moments d'incertitude.

— Papa !...

— Il y a eu effectivement mariage, l'homme l'a répété devant toi. J'avais donc raison de penser que je suis l'authentique marquis de Kheilleagh, et toi, ma chérie, tu es *lady* Arabella Malindine !

— Mais, enfin, cet homme était ivre, il ne peut pas nous fournir de véritables preuves ! protesta Bella, désespérée. Papa, il se contente d'affirmer, rien de plus !

— Il a été toute sa vie valet de chambre au château ; il a été au service de mon père. Pour quelle raison mentirait-il ?

Mais, pour deux souverains peut-être, avec la perspective que d'autres pièces suivront ! C'est là une raison suffisante pour qu'un Irlandais assoiffé raconte à l'Anglais insensé la fable que celui-ci a envie d'entendre, de quoi amuser tout le pays à des lieues à la ronde ! C'était ce que se disait Bella en se torturant l'esprit en quête d'un raisonnement qui influencerait son père sans le froisser.

— Ah ! vous êtes là ! s'interposa Dennison en s'approchant. On m'a envoyé vous chercher. La course de la coupe Kheilleagh va prendre le départ.

Songeant que son père allait s'empresser d'annoncer les nouvelles au pasteur, Bella s'aperçut aec étonnement qu'elle faisait fausse route, car, l'air joyeux et un peu hautain aussi, Harley lança :

— Il ne faut absolument pas manquer cette course ! Nous vous suivons !

# CHAPITRE X

A cause probablement de son mauvais état, ce ne fut pas la route franchissant le pont que le cocher emprunta, mais celle, plus longue, qui traversait la ville. La pluie avait repris, la boue giclait sous les roues du coupé et sous les sabots des chevaux gris. La voiture était vieille, mais bien suspendue et confortablement équipée, toute blanche, avec le blason des Malindine peint sur les portières.

Bella regarda au-dehors tandis que les chevaux grimpaient la pente — le château était juste au-dessus. Une brume de pluie brouillait sa façade, mais les lignes rudes du bâtiment n'en étaient pas moins sinistres.

Peu après, le coupé ralentit l'allure, les chevaux progressèrent sur des pavés et franchirent la grille d'entrée.

La cour, comme le château d'ailleurs, n'était pas carrée, ainsi que se l'était imaginée Bella. Elle était en forme de trapèze, les ailes nord et sud étant d'égale longueur, mais, sur la partie arrière, l'aile est était beaucoup plus courte que l'aile ouest qui faisait face à la ville. Cela donnait à l'ensemble des proportions réduites et moins imposantes. D'ici, seule la tour la plus intérieure était visible, ce qui la rendait moins effrayante parce que plus adaptée à la construction.

La cour était pavée de dalles rondes, et, au centre, se dressait une statue de trois mètres de haut, représentant un ours brandissant une harpe dans sa patte, le tout sculpté dans une pierre blanche qui contrastait avec les pavés bleu sombre. Bien que le jour fût morne et furieux, la statue était magnifique et étrange.

Un valet de pied accourut avec un parapluie pour protéger Bella quand elle mit pied à terre — un geste gentil qui dissipa quelque peu le malaise de la jeune fille. D'autant que *lord* William parut, n'hésitant pas à se faire tremper pour venir à la rencontre de ses invités. Concentrée sur les avantages de la situation, Bella sentit son moral remonter, séduisants ou non, les pairs du royaume étaient rares dans la grand-rue de Streatham. Puis, les Harley furent présentés à la marquise.

La voix était frêle lorsque la jeune femme salua Bella, affectée peut-être mais aimable.

— J'avais hâte de vous connaître, mademoiselle Harley. Billy m'a tant parlé de vous qu'apparemment vous avez produit sur lui une vive impression.

— N'est-elle pas aussi ravissante que je te l'avais affirmé, Clara ? renchérit *lord* William en souriant.

— Absolument ! Vous êtes exquise, mademoiselle.

Venant d'une femme aussi magnifique, le compliment était gênant, mais il semblait sincère.

— Je ne m'étonne pas que vous soyez si recherchée, insista la marquise.

Après s'être excusée à cause de l'absence de son mari — il avait, paraît-il, à faire avec Purdy, son régisseur —, la marquise s'intéressa particulièrement à

Harley, ce qui permit à son beau-frère de se consacrer — pour sa plus grande joie — à Bella.

Elle s'interrompit brusquement quand entrèrent le marquis et Purdy.

— Clara, ma chérie ! s'exclama le marquis en s'approchant vivement de sa femme. Pardonne-moi d'avoir été si longuement retenu par les affaires.

La voix était bougonne mais non dénuée de tendresse. Clara tendit sa joue à baiser à son mari.

— Cela ne fait rien, Donald. Laissez-moi vous présenter à monsieur Harley et à sa ravissante fille Arabella.

Le marquis salua la jeune fille d'un signe de tête, marmonna quelques mots de politesse, mais garda l'œil fixé sur Harley.

— Monsieur Harley, alors ?

— Oui..., en effet, fit Harley avec hésitation.

Ils se dévisagèrent. Sur le plan physique, Harley avait plus d'allure que le marquis. Le front plus haut, il avait l'élégance plus patricienne. Le marquis, mal vêtu et crotté, n'avait pas même l'air d'un gentilhomme.

— J'ai entendu parler de vous, monsieur Harley, dit-il, le ton rogue. Précisément, l'affaire dont je viens de m'occuper vous concernait.

Bella retint son souffle, mais Harley ne se démonta pas.

— Réellement, monsieur ? dit-il, calme.

— Evidemment ! J'ai eu affaire à un domestique que vous avez apparemment soudoyé pour qu'il mente, Dicky Haggerty, un de mes valets. Le nierez-vous ?

La marquise eut un haut-le-corps, consternée. Purdy demeura planté au côté de son maître sans rien perdre de son impassibilité. Harley coupa la parole à William qui s'apprêtait à intervenir :

— Je le nie formellement, déclara-t-il. Je n'ai soudoyé personne. C'est volontairement que ce Haggerty m'a livré cette information.

— Volontairement, dites-vous ? C'est sous l'impulsion de ce prêtre, oui ! Et avec la promesse d'un gros pourboire si le mensonge tenait debout. Il lui reste encore trois souverains, mais il a dû boire les autres ! Et vous, monsieur, ayant diffamé ma famille, vous avez en plus l'aplomb de venir chez moi ! Vous mériteriez que je vous fasse chasser à coups de fouet ! Et par mes laquais, par-dessus le marché !

Fou de rage, il en avait le masque crispé et la main tremblante. William avança d'un pas pour le retenir en lui étreignant le bras.

— Fiche-moi la paix, Billy ! C'est toi qui l'as invité ici !

— En effet, admit tranquillement le jeune homme. Et il serait assez terrible que je ne puisse inviter quiconque sans t'avoir auparavant demandé l'autorisation de le faire sous prétexte que tu es le chef de famille ! J'ignore tout de l'affaire Haggerty, et je ne tiens pas à le savoir. Quoi qu'il en soit, je m'étonne que tu la prennes si au sérieux.

Bella saisit ce qu'il voulait dire : « Que tu te donnes tant de mal à propos des divagations d'un fou, quoi qu'il cherche. » Mais, tout en éprouvant quelque honte, elle ne put s'empêcher d'admirer la manière dont il débrouillait la situation. Le marquis loucha sur son frère et dit enfin :

— Puisque c'est toi qui l'as amené, dit-il, sors-le d'ici.

— Dès que nous aurons pris le thé, décida William. Je ne renvoie jamais qui que ce soit sans avoir auparavant offert un rafraîchissement.

— Comme tu voudras, fit l'autre, médusé autant

que furieux. J'ai du travail, excuse-moi, ma chère Clara. Mademoiselle Harley...

Le marquis la salua, puis :

— Suivez-moi, Purdy.

Et il sortit. Lorsque la porte se fut refermée sur eux, la marquise s'interposa :

— Je suis navrée de cet incident, monsieur Harley. Mon mari pique volontiers des colères pour pas grand-chose. Ne vous en formalisez pas, cher monsieur.

— Vous êtes d'une infinie bonté, madame, fit Harley conservant sa dignité. Mieux vaudrait cependant que nous prenions congé.

— Voyons, cher monsieur, protesta William, vous allez d'abord prendre le thé.

— Non, je vous en prie, *lord* William.

— Bien, puisque vous insistez, soupira l'autre. Je vais faire amener la voiture.

# CHAPITRE XI

La pluie ne cessa de dégringoler toute la journée, et Bella l'entendit tambouriner la nuit contre sa fenêtre, accompagnée par le rugissement du vent. Se rappelant la scène qui s'était déroulée dans le salon du château, elle frissonna malgré la chaleur quiète de son lit. Bien qu'adorant son père, elle ne pouvait nier qu'elle regrettait qu'il ne fût pas à des milles de là. Ce n'était pas tant du marquis qu'elle se souciait, mais du fait que l'incident avait eu lieu en présence de la marquise. Et de William...

Elle eut du mal à se rendormir. Lorsqu'elle se leva le lendemain, elle se sentit à la fois déprimée et paresseuse.

Son père et elle déjeunèrent ensemble, sans les Dennison — le pasteur, tôt levé, était déjà absorbé par son travail dans son bureau et Mme Dennison déjeunait dans son lit. Bella avait refusé qu'on la servît également dans son lit, et, ce matin-là, elle s'en mordit les doigts. De toute façon, elle avait peu d'appétit.

Pour sa part, Harley garnit copieusement son assiette d'œufs et de jambon. Il était d'excellente humeur, et Bella remarqua sa gaieté avec rancœur, mais elle s'en voulut, car elle eût été navrée de le savoir malheureux.

Elle avait pris la décision de ne pas faire la moindre allusion au château ni aux Malindine, mais Harley n'avait pas les mêmes idées.

— J'ai réfléchi à propos d'Haggerty, confia-t-il. Je suppose qu'il s'est montré bavard — peut-être par excès de boisson — et que quelqu'un a mouchardé. J'avoue avoir été abasourdi, mais ce n'est pas une mauvaise chose, en réalité. As-tu remarqué la réaction ? Il était littéralement bouleversé, hors de lui.

— Le marquis, tu veux dire ?

— Enfin, celui qui passe pour tel, rectifia Harley, qui s'essuya les lèvres avec sa serviette après avoir avalé une gorgée de café. L'usurpateur, quoi ! La peur provoque couramment la colère. Il connaît la vérité de l'affaire, et il sait qu'elle apparaîtra au grand jour.

— Papa...

— Oui, Arabella ?

Elle fut exaspérée d'entendre une fois de plus ce nom.

— Partons du principe que tu as raison, qu'il y a eu mariage et que l'on peut le prouver. Tiens-tu réellement à être connu comme marquis de Kheilleagh alors que tu as toute ton existence été respecté sous le nom de Patrick Harley ? Personnellement, je me moque d'être *lady*. Et d'autres personnes sont en jeu. Tiens ! la marquise, tu n'as sûrement pas envie de la chagriner ?

— Evidemment pas ! dit-il en ajoutant du sucre dans sa tasse. Elle m'a semblé charmante. Mais, il faut que tu comprennes, Arabella, que les résultats ont plus d'importance que les individus en cause, quelles que soient leurs qualités.

Il s'exprimait tel un marquis, songea la jeune fille, désespérée.

— La parole d'un homme comme Haggerty n'a

aucune valeur, papa, tâche de le comprendre. La preuve ou prétendue telle se ramène au seul fait que ton père aurait parlé à Haggerty d'un mariage. Admettons ; mais le fait reste à prouver.

— Quoi ! suggères-tu que ton grand-père, héritier des marquis de Kheilleagh, aurait menti à un valet ?

— Aurait-il plutôt, selon toi, fait ce genre de confidence à un valet ? riposta-t-elle, exaspérée. N'est-il pas plus vraisemblable de penser que Haggerty a menti ? Dans le but de causer des ennuis, peut-être, ou dans l'espoir d'en tirer de l'argent... Cela ne te suffit pas comme explication ?

— Ils ont été, dans l'enfance, des compagnons de jeu, objecta Harley. Et cela, malgré la différence de rang social. Voilà qui crée un lien solide entre deux hommes, ma chérie, mais cela peut t'échapper.

» Ton grand-père était revenu à Kheilleagh et s'était réconcilié avec sa famille. Il nous avait laissés en Angleterre, ta grand-mère et moi, il avait l'intention de nous faire revenir et de nous présenter officiellement, mais il n'avait pas encore osé le faire. Le marquis, vieux et implacable, se mourait lentement. Ton grand-père était un homme solitaire et frustré. Je ne suis pas étonné qu'il se soit confié à Haggerty, faisant confiance à cet ami de son enfance tandis qu'ils chevauchaient côte à côte à travers champs.

— Encore une fois, tu n'as, pour l'affirmer, que la parole d'Haggerty ! Qui le croira ? Et pourquoi le ferait-on, car cela ne signifie rien ?

— Haggerty est un vieil homme, et cela se passait il y a plus de quarante ans. Il a du mal à rassembler ses souvenirs — les détails de ce qu'on lui a dit avaient pour lui peu de sens, et il n'avait aucune raison de se les rappeler. Mais, il se souvient que mon père lui a raconté s'être marié en Irlande, en un lieu qu'il a cité. Ce lieu, pour le moment, Haggerty l'a oublié, mais il est convaincu que cela lui reviendra. Dès lors, le mariage pourra être prouvé irréfutablement.

— Mais, pour l'heure, Haggerty ne sait plus.

Et elle se demanda combien de souverains, combien de litres de whisky il faudrait pour aider Haggerty à ranimer ces détails capitaux dans sa mémoire ? Comment Harley ne réalisait-il pas ce qui apparaissait clair comme le jour ?

— Il saura, affirma Harley, admirablement confiant. La mémoire vous joue de ces tours, avec l'âge. Par exemple, la mienne n'est plus ce qu'elle était. Mais, c'est de Haggerty que viendra la vérité.

Il était inutile de discuter, parce que rien ne le détournerait de ses convictions.

— J'ai adressé un message au père Carthy, enchaîna-t-il. Je l'ai prié de venir me voir ce matin.

— Quoi ? au presbytère ?

— Je bavarderai avec lui dans la cuisine ; je suis sûr que Dennison n'y verra pas d'objection. J'aimerais qu'il contacte à nouveau Haggerty que je ne peux pas joindre aisément au château, mais qui viendra si le prêtre le lui ordonne.

Bella pensa que la perspective de gagner de l'argent serait plus forte que l'influence du prêtre.

— Cette intervention ne me plaît pas, je te l'avoue.

— Inutile de t'en inquiéter, Arabella. Laisse-moi faire.

— Je t'en supplie, ne m'appelle plus Arabella, c'est un nom que je déteste !

— C'est celui que je t'ai choisi parce qu'il n'est pas commun comme Mary, Susan ou Elizabeth, déclara-t-il, surpris mais non ému. Il te fallait un prénom qui ne déshonore pas la particule.

Exaspérée, Arabella s'excusa et quitta la table.

— Mais, tu n'as rien avalé, ma chérie, protesta son père. Il faut te nourrir si tu veux conserver la santé !

Dans la soirée, on fit part aux Dennison de la situation nouvelle, créée par le départ brutal d'Haggerty — une épreuve dont Bella se serait volontiers passée, mais qui ne parut pas troubler les Dennison. Cette nouvelle avait été communiquée par le père Carthy au cours de la journée. Bella insista du mieux qu'elle put en présence de son père sur la gêne que pouvait causer leur installation au presbytère, mais ses hôtes se refusèrent à entendre raison.

Elle fut contente quand la soirée toucha à sa fin. Elle empoigna sa chandelle et gagna sa chambre. Elle se faisait du souci à propos de son père. Par chance, la fatigue subie la veille vint à son secours — et, sitôt au lit, elle glissa dans un sommeil d'où l'extirpa la femme de chambre qui apportait le thé du matin. Tout alors lui revint en tête, et elle demeura longtemps étendue, ruminant de sombres pensées, avant de parvenir à se lever.

Elle était en retard pour le petit déjeuner. Ne voyant pas son père à table, elle en conclut qu'il avait pris son repas. Ce que lui confirma Danny qui entra pour apporter de la tourbe pour le feu.

— Est-il dans le salon ? demanda-t-elle.

— Non, mademoiselle, il est sorti.

— Ha ! s'étonna-t-elle, constatant que, s'il ne pleuvait plus, le ciel était désespérément bas et gris. A-t-il dit où il allait ?

— Non, mademoiselle. Mais, il avait revêtu sa cape, et il portait son petit sac de cuir.

Bella résolut de partir elle-même à la recherche de son père, lequel s'était sûrement rendu du côté de la ville. Il ne pleuvait toujours pas, et Bella mettait son manteau quand Danny traversa le vestibule.

— Ah ! vous voilà, mademoiselle ! Je voulais vous prévenir que le facteur est venu avec un message de votre père.

— Quel est-il ? Où est mon père ? demanda-t-elle vivement, tenant le manteau à bout de bras.

— Oh ! il doit être loin à présent ! Il a pris la diligence pour Westport à neuf heures.

Sachant dès lors où s'était rendu son père, Bella cessa de s'inquiéter.

Plus tard, tout en marchant le long de la rivière, par un temps qui, pour une fois, n'était ni pluvieux ni menaçant, Bella croisa Dungillis. Il quittait la ville à cheval, et elle pensait qu'il se contenterait de la gratifier d'un salut au passage, mais, à la dernière seconde, il arrêta sa monture.

A ses salutations maladroites, elle répondit fraîchement. Bien qu'étant sur la défensive, elle resta ahurie quand il lui demanda si elle montait à cheval. Comme elle répliquait que cela lui était occasionnellement arrivé, il poursuivit :

— Accepteriez-vous de m'accompagner un après-midi au cours de votre séjour ? Je possède un cheval qui vous conviendrait et que je pourrais amener au presbytère.

Sur sa manche, on distinguait une longue déchirure, et, bien qu'il eût le teint foncé, il était aisé de deviner qu'il ne s'était pas rasé ce matin. Bella avait devant elle un personnage à la fois fruste et misérable, qui formulait son invitation avec une gaucherie brusque.

— Je vous remercie, monsieur, dit-elle plus froidement encore, mais je crains de ne plus être souvent libre pendant le temps de mon séjour à Kheilleagh.

Le regard du jeune homme se durcit, mais, au moment de dire quelque chose, John Dungillis se ravisa et se contenta d'un : « Alors, au revoir », avec un signe de tête avant de s'éloigner.

Le cinquième jour, à l'heure où arrivait la diligence de Westport, la jeune fille résolut de se rendre en ville, au-devant des voyageurs.

Bella constata un certain remue-ménage devant l'hôtel Royal : la diligence était arrivée.

De plus en plus angoissée, Bella épia les voyageurs et poussa un cri de soulagement :

— Papa !

Harley se tourna et lui adressa un signe de la main. Il s'avança ensuite vers la charrette en compagnie d'un inconnu. L'homme, d'âge moyen, était plutôt joufflu sous une chevelure argentée et portait une redingote noire.

— Arabella, ma chérie ! s'écria Harley, manifestement heureux. Bonsoir, monsieur le pasteur, comme c'est aimable à vous d'être venu nous accueillir. Je ne saurais assez vous remercier de votre bonté. Puis-je vous présenter monsieur Kavanagh O'Flinn ?

L'autre s'inclina, cérémonieux.

— Charmé de faire votre connaissance, mademoiselle. Très honoré, monsieur.

— Kavanagh O'Flinn est un avocat de Dublin que j'ai chargé d'engager le procès en mon nom, expliqua Harley. Monsieur O'Flinn a décidé de descendre au *Royal*.

# CHAPITRE XII

Le lendemain après-midi, tandis que la pluie fouettait les fenêtres, Bella était, dans le salon des Dennison, penchée sur un ouvrage de broderie. Elle était seule, car Mme Dennison, souffrant d'une migraine, s'était retirée dans sa chambre, et le pasteur, qui allait rendre visite à un fermier de ses paroissiens dans la vallée de l'ouest, avait emmené Harley pour le déposer au *Royal*. Harley voulait discuter avec O'Flinn qui venait de rencontrer l'avocat du marquis, Terence Bannion.

Bella réfléchissait à l'affaire en se disant qu'il n'en sortirait sûrement rien de bon, lorsque Bridget vint lui annoncer la visite de *sir* John Dungillis.

— L'avez-vous averti que le pasteur était absent et Mme Dennison, souffrante ? demanda la jeune fille.

— C'est-à-dire que... c'est à vous qu'il souhaite parler, mademoiselle.

Bella s'efforça d'imaginer une excuse que Bridget, avec son innocence, saurait répéter, mais John Dungillis surgit sur le seuil de la pièce.

— Je vous demande un instant d'entretien, mademoiselle Harley, dit-il, laissant son manteau dégouliner de pluie sur le tapis. Je vous promets de ne pas vous importuner longtemps.

— Vous ne me donnez pas le choix ! persifla-t-elle. Confiez donc votre manteau à Bridget.

— Non, je vous remercie. J'ai encore un trajet à parcourir à cheval et, comme je suis déjà trempé... Merci, Bridget, dit-il, s'adressant à la servante, qui s'éclipsa. A propos de ce O'Flinn, mademoiselle Harley...

— A ce sujet, c'est à mon père que vous devriez vous adresser. Vous les joindrez d'ailleurs tous les deux au *Royal* actuellement.

— Je sais. De même que je suis au courant de l'entrevue O'Flinn-Bannion ce matin.

— Je n'ai pas l'intention d'en bavarder avec vous, *sir* John. Vous perdez votre temps ici...

— Votre père est obstiné, trancha-t-il sans l'entendre. Je doute qu'il m'écoute, mais vous pourriez avoir plus d'influence sur lui.

— Je n'ai pas à intervenir sur la manière dont mon père mène ses affaires.

— Ce n'est pas ce que je vous suggère. Mais il pourrait tenir compte d'un avertissement que vous lui transmettriez alors qu'il l'ignorerait venant de moi.

— Un avertissement ?

— Concernant O'Flinn, oui. Mes contacts de Dublin m'ont révélé certains faits au sujet de cet homme. C'est un bandit, un escroc, et il tirera de votre père tout l'argent qu'il pourra lui extorquer.

Dungillis devait, lui aussi, présumer que Harley était beaucoup plus fortuné qu'il ne l'était en réalité. S'amusant pour la première fois depuis le début de cet entretien, elle lança :

— Quelle sollicitude de votre part, cher monsieur ! J'avoue que cela ne m'était pas venu à l'esprit.

Secouant la tête, il projeta des gouttes d'eau sur le tapis :

— Il en irait autrement si votre père était différent, confia-t-il. Mais, il court après le titre de Donald. O'Flinn sait parfaitement qu'aucune réclamation n'a, sur ce plan, une chance d'aboutir, mais il considère avant tout son intérêt. D'un certain point de vue, il en donne à son client pour son argent. J'imagine que, selon lui, les deux parties arriveront à un accord en dehors du tribunal, ce qui éviterait les ennuis, les dépenses et le scandale. Mais, il a tort en cela. Donald Malindine n'acceptera sous aucun prétexte un accord amiable. Et quand O'Flinn s'en apercevra, il renoncera, retournera à Dublin après avoir soutiré à votre père tout l'argent possible en guise de compensation. C'est une conclusion qui ne me plairait pas.

— Sincèrement, *sir* John ? dit Bella, étonnée de la virulence de son ton. Quel mal peut-il y avoir au fait qu'un Anglais perde son argent au profit d'un avocat irlandais — surtout si cet Anglais a l'audace de revendiquer un héritage irlandais ?

Il la dévisagea avec ahurissement, mais, presque suppliant :

— Pourquoi me harcelez-vous avec cette agressivité, mademoiselle ? Je reconnais que je me suis montré grossier envers votre père, au début, et je vous demande pardon. Voulez-vous oublier que j'ai fait preuve de mauvaise éducation ?

— Votre attitude a été plus déplaisante dans ses conséquences ! objecta-t-elle. Oui, rappelez-vous, ce jour où vous avez convaincu le patron du *Royal* de nous mettre dehors.

Il en demeura un instant sans voix, puis :

— Vous n'avez tout de même pas cru que j'en étais responsable ? soufflat-il.

— Qui, sinon vous ? riposta-t-elle. Vous étiez venu, insistant pour que je persuade mon père de quitter la ville. Comme je ne semblais pas m'en soucier, vous avez fait allusion au fait que certaines circonstances pourraient nous contraindre à partir et vous êtes aussitôt allé trouver Malone dans son bureau privé. Le même jour, on nous donnait congé !

— Mais, je suis allé discuter de cochons avec lui ! C'était une commission dont m'avait chargé Gilray, l'homme qui dirige ma ferme. Comment avez-vous pu me croire capable d'un acte pareil ?

— Quelqu'un l'a commis en tout cas, car Malone exécutait des instructions qu'il avait reçues. Qui a donné ces instructions ? Qui en était capable, vous mis à part ?

— Purdy, incontestablement. Comme la plupart des gens à Kheilleagh, Malone n'a pas d'autre choix que de courber la tête sous le fouet qui claque.

— Mais, pour quelle raison ? Vous ne dites pas que mon père a raison, que le marquis craint qu'il ne fasse valoir ses droits et n'obtienne ainsi de prendre sa place ?

— Rien de tel ! Je ne prétends même pas que Donald soit au courant de l'affaire. Purdy agit en tout pour son compte et, considérant que votre père est un obstacle, il veillera à le faire fuir. Donald agit d'instinct, mais Purdy prévoit, dresse des plans, calcule et cherche à ne courir aucun risque... Avouez-le, vous n'avez pas réellement cru que c'était à cause de moi que l'on vous avait expulsés ? ajouta-t-il en fixant la jeune fille.

Il était si drôle avec cet air indigné et sa figure dégoulinante d'eau que Bella eut du mal à réprimer un éclat de rire :

— Excusez-moi de vous avoir mal jugé, mais cela

paraissait logique. Vous étiez si avide de nous voir filer !

— Ah ! non, ce n'était pas cela ! Simplement, j'étais inquiet pour votre père et je me suis, comme toujours, mal exprimé. Je manque de diplomatie.

— Sur ce point, je partage votre opinion ! rétorqua-t-elle en riant.

— Je reste inquiet pour votre père, et pas seulement parce qu'il a des chances d'être « plumé » par O'Flinn. Ce n'est pas le moment pour un homme tranquille comme lui d'être à Kheilleagh. Il a eu une première querelle avec Donald Malindine à propos de cette expulsion dont vous avez été les témoins. Ce serait ennuyeux pour lui d'être mêlé aux troubles qui s'annoncent.

Le ton s'était fait plus passionné, et, cette fois, elle en fut impressionnée.

— Vous pensez sincèrement qu'il va y avoir des troubles ?

— Immanquablement si les expulsions se poursuivent.

— Et on ne peut vraiment rien pour les éviter ?

— Les ennuis ou les expulsions ? Pour ces dernières, je conserve l'espoir que Donald Malindine récupère son bon sens. C'est son entêtement qui est à l'origine de tout ceci — en même temps que l'influence de Purdy et son désir de prouver qu'il est aussi puissant que l'était son père. Mais, il ne se rend pas compte que son père et d'autres Malindine avant lui ont ensemencé ce qui devait être une récolte sanglante. La population de ces vallées, comme toute celle de l'Irlande en général, a supporté patiemment une longue oppression. Mais, lorsque la patience craque, elle fait place à la violence.

Bella fut émue par la sincérité et la conviction qui filtraient dans sa voix.

— Ne pouvez-vous obtenir que *lord* William parle à son frère si la situation est si terrible ? dit-elle. Il semble plus intelligent et moins strict.

— Oh ! Billy !... fit Dungillis, hochant la tête : il est certainement plus intelligent, mais Donald ne l'écouterait pas plus qu'il ne se laisserait influencer par moi dans cette histoire. Nous sommes en mauvais termes depuis l'enfance, Donald et moi. Je crois avoir plus de chance avec Purdy, en revanche. Celui-là n'est pas non plus un idiot, et je m'apprête précisément à aller le voir.

— Je vous souhaite de réussir.

— Merci. A propos de mon invitation concernant une promenade à cheval, vous ne voulez pas changer d'avis, à présent que vous savez que je n'étais pour rien dans l'incident Malone ?

Il y mettait cette fois une ardeur différente, empreinte d'une gaucherie d'adolescent. Bella sourit :

— C'est entendu, fit-elle, soulagée en son for intérieur.

— Alors, si le temps s'améliore demain, je pourrai amener votre monture ? Vers dix heures, ce ne sera pas trop tôt ?

— Ce sera parfait.

Le temps ne s'éclaircit qu'en fin d'après-midi, et Bella en profita pour partir en promenade. Elle longea la rivière en direction de la ville, et elle n'avait pas parcouru cent mètres qu'elle vit *lord* William chevaucher vers elle. Il la salua et mit pied à terre. Ils bavardèrent une ou deux minutes, puis :

— On m'a raconté qu'un avocat célèbre à Dublin

était en ville afin d'appuyer la revendication de votre père, observa le jeune homme.

— Il n'existe apparemment pas de secrets à Kheilleagh, remarqua-t-elle, souriante mais embarrassée.

— En tout cas, peu, et ils ne durent pas, répliqua-t-il en lui rendant son sourire. Je voulais seulement vous dire que, si votre père ne se trompe pas, je souhaite que sa vérité soit prochainement reconnue, et cela bien que Donald soit mon frère.

Toujours gênée, elle éprouva cependant une grande satisfaction.

— C'est une attitude très généreuse de votre part, *lord* William.

— Billy, je vous en prie, mademoiselle ! Suis-je autorisé à vous appeler Arabella ?

— Je préférerais Bella.

— Tiens ! moi aussi ! Bella signifie « belle » c'est à peu près le seul mot latin dont je me souvienne. A moins que ce ne soit *guerre ?* Enfin, s'écria-t-il en riant, nous y gagnerons de vous garder encore à Kheilleagh si l'avocat s'occupe de l'affaire ?

*Lord* William exprima l'espoir de revoir Bella très prochainement, mais n'en fixa pas pour autant un rendez-vous.

# CHAPITRE XIII

En s'éveillant de bonne heure le lendemain, Bella sentit par la fenêtre ouverte de sa chambre qu'une journée nouvelle et bienfaisante commençait.

Dungillis se présenta à l'heure qu'il avait suggérée, amenant une jument baie équipée d'une selle pour dame. Il était courtois, presque aimable, mais Bella ne put s'empêcher de se demander s'il ne regrettait pas son invitation à la promenade. Dans ce cas, elle ne serait que trop contente de le dégager de son obligation — la journée convenait à une chevauchée, à condition que le cavalier ne fût pas morose.

Mais il la surprit en disant :

— Si vous n'y voyez pas d'objection, mademoiselle..., je voulais vous proposer de galoper jusqu'à la résidence Gillis. Et de déjeuner en notre compagnie. Mes sœurs en seraient ravies.

— Euh !... mais..., volontiers !

— Ah bon ! s'exclama-t-il, comme avec soulagement. Il faudra prévenir nos amis, car vous ne serez de retour que dans la soirée.

Pendant qu'ils chevauchaient côte à côte, il redevint taciturne. La jeune fille se rappela que Constance avait plaisanté de la gaucherie de son frère face aux personnes du sexe opposé.

La matinée passa vite. Soudain, John remarqua :

— Tiens ! nous voici à présent en vue de la maison, mais nous ne nous y rendrons pas directement. Lorsque nous y serons, en effet, avec les papotages de Connie, je n'aurai plus l'occasion de vous parler. Et il y a une ou deux choses que j'aimerais à vous montrer en chemin.

— Je ne suis pas pressée, nous avons une si belle journée devant nous !

— Pour le moment, oui, mais cela se gâte. Regardez, les nuages s'accumulent à l'ouest.

Non, c'était lui qui était d'humeur sombre, se dit-elle. Il y avait bien quelques nuages, mais ils étaient rares, semblables à des boules de neige.

Bella tenait compagnie aux jeunes filles avant le déjeuner tandis que John était occupé avec un palefrenier. La jeune fille constata qu'elle était en termes plus chaleureux avec Constance, dont la franchise était en définitive plus rafraîchissante que méchante.

Le repas fut gai en plaisante compagnie. Au début assez taciturne, John finit par adapter son attitude à celle de sa sœur aînée et à devenir joyeux. Après celle morose du presbytère, l'ambiance était réjouissante. Dennison paraissait en effet toujours préoccupé et sa femme, douloureuse. Bella se sentit tout à fait à l'aise ; elle ne se rendit pas compte du temps qui coulait jusqu'au moment où Maud regarda l'horloge :

— Mon Dieu, il est plus de trois heures ! Nous

allons passer dans la pièce voisine pour que Biddy puisse débarrasser. Elle fait la tête quand on la retient trop longtemps. Tiens ! le vent se lève ! Ecoutez.

Suivant son regard, Bella s'aperçut qu'à l'extérieur il faisait plus sombre. Le ciel n'était plus bleu mais peuplé de nuages noirs bordés de blanc.

— Dire que la journée avait si bien commencé ! s'exclama-t-elle, consternée.

John lui suggéra d'avancer l'heure de son retour, afin de parcourir une distance maximale avant les premières gouttes de pluie.

Il avait eu raison — ils avaient, en effet, couvert la moitié du trajet avant que la pluie ne commençât. Ce furent d'abord des gouttes éparses que le vent fouetta, cinglant le visage des deux jeunes gens. Bella et John avaient cependant revêtu des manteaux de pluie, et, si la pluie lui frappait les joues, Bella se sentait bien abritée.

Ils atteignirent un lieu d'où l'on voyait sinon la ville du moins le château Malindine juché sur sa colline, l'air étrangement massif sous cet angle d'où l'on ne distinguait pas les donjons. Bella considéra la construction avec indifférence sans se détourner — il fallait qu'elle restât fermement fixée vers la descente que dévalaient des flots tourbillonnants. Encore deux ou trois kilomètres, et ils seraient au chaud, au sec aussi, à l'intérieur du presbytère, songea-t-elle.

Brusquement, John arrêta son cheval, et Bella en fit autant. Il prononça quelques mots qui lui échappèrent ; elle le fit répéter.

— Qu'est-ce que c'était ? insista-t-elle.

— Eh bien... Dieu ait son âme ! se contenta-t-il de murmurer.

Cette fois, Bella avait saisi les mots, pas leur signification. Avait-il vu quelque chose qu'elle n'avait pas discerné — un corps flottant sur la rivière peut-être ? se dit-elle en frémissant. Non, il n'y avait rien à voir.

— De quelle âme parlez-vous, John ? A quoi faites-vous allusion ?

Il retira son chapeau et resta en selle, tête nue sous la pluie, masque étrange et sévère.

— L'âme de Donald. Vous ne l'avez donc pas entendue ?

— Mais, entendu quoi ? Avec ce vent, je n'entends strictement rien !

Prêtant une oreille plus attentive pourtant, elle perçut une différence — il semblait se produire deux rugissements distincts, l'un se superposant à l'autre. Un effet de son né de la configuration de la vallée sans doute.

— C'est la fée Malindine de la mort, assura John. Ecoutez-la gémir. C'est après Donald qu'elle en a.

C'était insensé, mais l'expression du visage de John interdisait qu'on le pensât. Quelle étrange terre et quel peuple curieux, se répéta la jeune fille. Sur cette terre désolée et verdoyante, que balayaient le vent et la pluie, on ne pouvait s'étonner de rencontrer des gens qui croyaient entendre hurler des esprits. Bella garda le silence ; et John enchaîna :

— Elle est la créature du marquis. Elle ne porte que le deuil de sa mort, jamais celui de la disparition d'un autre membre de la famille. Elle s'est lamentée pour le père de Donald, mais c'était un vieil homme que la mort guettait. Rien de surprenant à ce qu'elle hurle plus fort aujourd'hui.

Le rugissement s'éleva et retomba. La pluie s'accrut, plus drue, cherchant à s'infiltrer sous les vêtements, humide, froide, plus déprimante que n'importe quoi. Oui, c'était un étrange pays assez sinistre.

— Si nous nous remettions en route ? suggéra timidement la jeune fille.

— Oui, fit-il en se recoiffant de son chapeau. De toute façon, on n'y peut rien. Et vous allez être trempée. Il faut aller vous mettre au sec au plus vite.

Au presbytère, Bella monta en compagnie d'Adele qui, tandis qu'elle changeait de vêtements, manifesta sa désapprobation à grand renfort d'exclamations. Cette attitude déprima plus encore Bella ; quand elle descendit, elle se sentit toujours glacée et malheureuse.

Les Dennison étaient avec John dans le salon. Elle eut l'impression qu'ils la dévisageaient d'un air bizarre, au point qu'elle se demanda si elle avait une tenue insolite. Au passage, elle s'observa à la dérobée dans le miroir, mais Dennison vint au-devant d'elle pour s'emparer de ses mains.

— Nous venons d'avoir des nouvelles de la ville, ma petite fille... Il faut être courageuse.

Comme elle le scrutait intensément, il continua :

— C'est la volonté de Dieu. Même si vous ne la jugez pas suffisante, je ne connais pas de meilleure consolation. Votre père...

— Quoi ! Qu'y a-t-il ? Est-il souffrant ? balbutia-t-elle.

— Il y a eu un accident... dont personne n'est responsable. Une planche s'est, sous l'effet du vent, détachée de la façade de l'hôtel *Royal*, et a frappé votre père à la tête.

— Et il est...

Elle n'eut pas à formuler la question, car elle lut la réponse sur le visage de ses amis.

— Il est mort, mon enfant. Sans souffrance. Il est avec Dieu à présent, songez-y.

Elle fixa les mains du pasteur qui étreignaient les siennes et porta ensuite son regard sur la silhouette muette de John. Il la contempla d'un regard énigmatique.

# CHAPITRE XIV

Le cimetière était situé derrière l'église, mais il fallut transporter le cercueil par la route et emprunter ensuite une allée qui débouchait par derrière. Tandis que le cortège suivait, Bella vit se grouper plusieurs personnes à distance, du côté de la ville. Il y avait là des hommes en uniforme qui s'activaient, des curieux silencieux, et, dominant l'ensemble, on percevait une plainte d'une femme. Le marquis s'obstinait — c'était à une nouvelle expulsion que l'on procédait.

Les quatre porteurs, quatre ouvriers de la région qui semblaient avoir à peine la force de soulever le cercueil, le déposèrent sur ses tréteaux, et le pasteur Dennison enchaîna avec le service funèbre, parlant d'une voix forte et distincte.

Lorsque la cérémonie fut terminée, il ne resta plus qu'à recevoir les condoléances.

— Mon chagrin est profond, mademoiselle, dit O'Flinn. Je ne vais pas vous ennuyer avec ma conversation, mais faites-moi prévenir au *Royal* quand je pourrai aller vous rendre visite. Ou, alors, venez me voir, si vous préférez.

Tous se détournèrent de la tombe, sauf John qui

demeura un long moment pensif. Puis, dans un geste qui était à la fois simple et bizarre, il salua le cercueil en s'inclinant.

Voyant que Bella le regardait, il s'avança vers elle et lui dit à voix basse :

— Il faut que nous parlions le plus tôt possible.

Sur l'instant, la remarque ne revêtit pour elle aucune signification particulière, et elle demanda :

— De quoi voulez-vous discuter ?

— Il le faut, répéta-t-il calmement.

Bella dut prendre sur elle pour faire l'inventaire des affaires de son père. Les lunettes dont il avait horreur, mais qui lui étaient indispensables pour lire. Trois paires de manchettes. Des épingles à cravate, des cravates. Des boutons de col usés pour avoir été trop portés. Une série de brosses pour les cheveux et la barbe. Un portefeuille qui renfermait des photos de Bella et de sa mère peu avant la mort de celle-ci. Des photos que Bella découvrait pour la première fois.

Il y avait également quelques documents. Des copies de lettres anciennes dans lesquelles il avait consigné ses revendications concernant son titre de noblesse — et les réponses méprisantes qu'il avait reçues. Un acte de vente à en-tête de *R. Morgenbaum, Antiquités et Objets d'art*, concernant l'achat fait à Patrick Harley d'une canne à pommeau d'or pour la somme de cinquante guinées. Une feuille de vélin sur laquelle on avait rédigé l'arbre généalogique des Malindine, avec des encres de couleurs différentes. Donald Malindine y apparaissait comme le chef de la branche cadette tandis que Patrick Malindine, dixième marquis de Kheilleagh, occupait le haut de la branche aînée, à laquelle un rameau signalait l'existence de *lady* Arabella Malindine.

Dans le fond du même tiroir, Bella vit un petit coffre de métal noir. Elle l'ouvrit avec une des clefs fixées à la chaîne de montre de son père et en extirpa plusieurs sachets en peau de chamois. Deux d'entre eux seulement contenaient des pièces : vingt-trois souverains en tout. En dessous, Harley avait glissé une feuille de papier à en-tête de *Kavanagh O'Flinn Avocat*, lequel reconnaissait avoir reçu en guise d'avance sur honoraires, pour un procès en revendication de droits, la somme de deux cents livres.

Bella en demeura confondue. Elle se doutait d'une chose de la sorte, mais, deux cents livres, c'était une somme considérable ! Assez en tout cas, sans oublier les perspectives d'avenir, pour attirer un avocat très connu à Dublin ! Bella ne pouvait le reprocher à O'Flinn. Il exerçait un métier ; l'imprudence et l'insouciance de ses clients ne le concernaient pas.

Elle rejoignit les Dennison dans le salon au rez-de-chaussée.

— Oh ! ma chère Bella, fit Mme Dennison j'oubliais !... Une lettre est arrivée du château à votre intention ! fit-elle en la sortant de sa poche. Je suis dans un tel état de nerfs que j'en perds la mémoire ces jours-ci.

C'était une épaisse enveloppe de couleur crème, bordée de noir, frappée d'un écusson avec l'ours. Le papier était à l'en-tête du *Château de Malindine, Comté de Mayo*, et l'écriture était élégante.

*Chère mademoiselle,*

*J'ai appris avec un profond regret la mort soudaine de votre père et je vous exprime la part que je prends à votre chagrin. C'est véritablement épouvan-*

*table. Je tiens à vous adresser la sympathie que nous avons pour vous dans cette triste épreuve.*

*Le marquis vous fait transmettre ses vives condoléances ainsi que le regret qu'il éprouve pour avoir manifesté de la mauvaise humeur lors de votre récente visite au château. Il souhaite que vous lui fassiez l'honneur de l'entendre personnellement s'excuser et vous prie à ce propos de venir goûter avec nous demain après-midi.*

*Je vous serais reconnaissante d'une réponse favorable, car j'aurai moi-même grand plaisir à vous revoir. Il vous suffit de nous envoyer un mot, et la voiture viendra vous chercher à trois heures.*

*Très sincèrement vôtre.*

*Clara.*

Bella montra la missive à ses amis ; Mme Dennison observa :

— Leur valet doit venir plus tard chercher la réponse. C'est une charmante lettre, non ? C'est la première fois que j'entends dire que Donald Malindine s'excuse pour une raison ou une autre. On devine l'influence de sa femme...

John se présenta plus tard dans l'après-midi. Il rappela à Bella qu'il lui avait proposé une promenade à cheval. Mais, en fait, elle ne se souvenait de rien de ce qu'elle avait pu faire, dire ou entendre depuis deux jours. Bien qu'elle n'eût pas grande envie de cette promenade, elle ne se sentit pas la force de refuser. Au reste, cette chevauchée lui ferait passer deux heures qui risquaient, autrement, d'être fastidieuses.

Pour cette nouvelle randonnée, John choisit la

direction opposée, vers la ville et le long de la route menant à l'ouest.

— Je n'ai pas eu l'occasion de vous exprimer mes regrets, fit John. Tout a été si soudain. Je ne suis pas très beau parleur, mais il est quelque chose que je tiens à vous dire. Votre père...

— C'est gentil à vous mais inutile, coupa-t-elle, brusquement extirpée de sa léthargie par une flambée de rancœur. Je sais ce que la politesse vous dicterait, mais aussi que vous considériez mon père comme... au mieux comme un Anglais stupide qui avait des idées de grandeur.

— Non.

— Peu importe ! J'ai sur lui des sentiments personnels et des souvenirs qui n'appartiennent qu'à moi. Peut-être manquait-il d'intelligence sur certains points, comme la plupart d'entre nous. Mais je n'ai jamais connu, je ne connaîtrai jamais un être qui ait autant de profonde bonté. Il était généreux et courtois envers tous. Et c'est pour moi plus qu'une armure de chevalier, un immense domaine ou de l'arrogance, la marque d'une noblesse d'âme.

— Vous avez parfaitement raison. Mais, ce n'est pas tout ce qui compte.

— Pour moi, si. Je me souviens de ce que j'ai ressenti lors de la mort de ma mère, quand il a pris soin de moi. Dans la nuit, j'ai pleuré en silence afin de ne pas le déranger. Mais, il était réveillé et il est venu dans ma chambre pour me consoler. Et cela s'est produit de nombreuses fois.

L'air peu assuré, mais résolu, John insista :

— Il faut que nous discutions sérieusement.

— Rien ne me paraît plus sérieux que sa mort.

— Allons nous asseoir un moment sur cette roche.

Sans attendre la réponse, il mit pied à terre et tendit la main pour aider la jeune fille à descendre.

Elle s'exécuta. Ce rebord rocheux apparaissait blanc ; sous l'effet du soleil, il était chaud. Les deux jeunes gens prirent place côte à côte, regardant vers l'est et la ville qui se blottissait à la jonction des vallées, surplombée par le château.

— D'abord, laissez-moi vous avouer qu'à l'origine j'avais, sur votre père, l'opinion que vous avez énoncée, confia John. Je suis irlandais et, avant tout, loyal à cette terre. Les Dungillis vivent ici, comme les Malindine, depuis des siècles. Quels que soient mes motifs de querelle avec eux, d'instinct je les soutiens contre tout Londonien présomptueux.

— Je sais quels sont vos sentiments, alors faut-il insister sur la question ?

— Oui. Vous rappelez-vous ce qui est arrivé sur le chemin du retour, cet après-midi où votre père a trouvé la mort ?

— Je suis Bella Harley, déclara-t-elle. Je l'ai été toute ma vie et je me contenterai de l'être à l'avenir. Je ne veux pas de titre de *lady*, ni de marquise, ni de n'importe lequel. Il me pèserait trop.

— Mais, vous n'avez pas le droit de le refuser.

— Je pense que si.

— Non, riposta-t-il, le ton ferme. Certaines obligations ne peuvent être repoussées. Vous êtes une Malindine et, de droit, le chef de la famille. Vous avez une dette à l'égard de l'Irlande.

— Une dette ! s'exclama-t-elle avec ahurissement.

— Il y a trois cents ans que les Malindine dirigent Kheilleagh et les terres environnantes. Ils ont fait beaucoup de tort à la population ; et ils continuent. Vous héritez de la dette en même temps que du titre. Vous avez le droit de rétablir une situation aussi normale que possible.

— En supprimant les expulsions, par exemple ?

— Entre autres choses, oui.

C'était donc là la raison de la ferveur de John dans cette histoire, encore que tout parût basé sur une idée folle.

— En somme, à vous entendre, je devrais, après mon père, engager ce procès en revendication ? lança-t-elle. Admettons que je sois d'accord avec vous, comment pensez-vous que je doive m'y prendre ? Dois-je charger O'Flinn de porter l'affaire devant les tribunaux et déclarer au juge que je dois être marquise de Kheilleagh parce que la fée du destin m'a désignée ? De toute façon, je n'ai pas d'argent pour engager un tel procès. Mon père n'était pas riche, et le peu que je possède doit me servir à retourner en Angleterre.

Il l'écoutait à peine et il dit, avec une conviction inébranlable :

— Il doit y avoir une preuve quelque part. Ils ont expédié Haggerty ailleurs après qu'il eut parlé à votre père. Il faut le retrouver et le ramener. Ils avaient forcément une raison pour s'être débarrassés de lui.

— Je vous en prie, cela ne servirait à rien.

— Vous avez le droit pour vous, *Milady*, insista-t-il, tenace.

## CHAPITRE XV

Il n'était encore que neuf heures lorsque le pasteur se retira dans son cabinet de travail — on n'avait pas encore monté son plateau à Mme Dennison. Le temps était beau et venteux, Bella éprouva le besoin de sortir. Revêtue de son manteau, elle s'apprêtait à quitter le presbytère lorsqu'elle envisagea d'aller voir O'Flinn.

A l'hôtel, O'Flinn lui fit demander de le rejoindre dans la salle à manger où il prenait son petit déjeuner. Il se leva courtoisement pour la saluer, tout en s'essuyant les lèvres avec sa serviette, lui proposa une tasse de thé et, sans attendre sa réponse, rugit pour faire accourir un serveur.

Une fois servi, il commença :

— Passons aux affaires, mademoiselle. Comme vous le savez, votre père m'avait chargé d'une tâche que le drame de sa mort a laissée inachevée.

— Sa mort met justement fin à votre mission, c'est ce que j'étais venue vous dire.

— Oh ! loin de là, mademoiselle ! riposta-t-il avec un sourire confiant.

— Il faudrait que vous compreniez ceci, monsieur O'Flinn : mon père a pu vous donner le sentiment qu'il avait des moyens, peut-être même une fortune, mais ce n'était pas le cas. En admettant que je veuille continuer l'affaire je ne pourrais pas me permettre de régler vos honoraires.

— J'avoue qu'à mon point de vue le but de votre père était sans espoir — je fais naturellement allusion à la revendication qu'il comptait faire sur le titre et les biens de Kheilleagh.

— Je le conçois et...

— Excusez-moi, mademoiselle Harley, trancha-t-il avec autorité. Laissez-moi vous expliquer la situation. Il est à peu près certain que la réclamation ne serait pas admise légalement, mais la loi peut être un instrument utile. Nous pouvons obtenir un accord amiable, au besoin... substantiel.

— Cet accord ne serait que la conséquence de menaces et d'une forme de chantage dans lequel je ne veux jouer aucun rôle, assura-t-elle.

— Vos sentiments vous font honneur, dit-il, serein. Mais, vous êtes jeune, mademoiselle, et vous n'avez plus votre père. Personne au monde en vérité. Sur un certain plan, la réclamation a sa justification. Votre grand-père, un aristocrate fortuné, a séduit votre grand-mère, simple fille de la campagne ; il l'a entraînée loin des siens et l'a abandonnée avec un enfant en terre étrangère. Cela exige réparation.

— En fait de compensation, ma grand-mère avait reçu de l'argent.

— Pas suffisamment, objecta O'Flinn. Et bien loin de là !

Elle se sentit encore plus découragée en s'apercevant que, égoïstement, il se souciait peu des considérations qu'elle formulait. Elle évoqua John, qui se montrait tout aussi résolu à la pousser dans la voie de la revendication. Existait-il de par le monde un seul homme désireux de laisser une femme avoir ses idées et sa volonté personnelles ? Sur le moment, elle en douta. Et ce fut sans espoir d'être écoutée qu'elle dit :

— Il faut y renoncer, monsieur O'Flinn. Je vous l'ai avoué, je n'ai pas d'argent pour continuer l'affaire.

Il remplit sa tasse de thé.

— J'ai déjà eu deux entrevues avec Bannion, et une troisième est prévue. L'homme est méfiant, comme l'on pouvait s'en douter, mais j'ai des espérances. De grandes espérances, mademoiselle ! Et ne vous inquiétez pas pour le moment de l'aspect financier de l'affaire. Je ne vous réclame absolument rien.

Çà et là, quelques mots parvinrent à Bella :

— La justice..., l'oppression..., des loyers.., le prix du travail et de l'effort de l'homme...

Elle aurait voulu adhérer à ce discours et y participer plus franchement, mais elle n'en eut pas le temps. Des cris s'élevèrent, le choc d'une bousculade s'ensuivit dans la foule qui s'écarta pour livrer passage à d'autres individus qui portaient, eux, l'uniforme du château. Ils s'élancèrent sur le public, s'en prirent à l'orateur en le rouant de coups de bâton et en glapissant. L'homme courba l'échine, s'efforçant vainement de se protéger la tête de ses bras levés.

Bien que l'inconnu fût tombé, les hommes du marquis s'obstinaient à le frapper. L'un d'eux le bourra soudain méchamment de coups de botte.

Au moment où Bella allait foncer dans la bataille, un bruit de sabots de cheval résonna dans la rue, venant du pont.

Elle ne reconnut le cavalier que lorsqu'il se retrouva dans la mêlée — c'était John. Il chassa les assaillants à coups de cravache. Ils reculèrent, mais s'aperçurent vite qu'ils n'avaient affaire qu'à un unique adversaire. Et l'un d'eux, un gros homme, le visage rougeaud au-dessus du col déboutonné, tira son pistolet.

Un sanglot de terreur étrangla Bella. John fixa l'homme armé sans pour autant abaisser sa cravache :

— Vas-y, Grady ! Dépêche-toi avant que je ne te brise les os avec ma cravache !

Dans la voix basse, perçait une rage sauvage. Grady épia un instant John, puis rengaina son arme, se détourna et déguerpit, suivi par le reste de la bande.

John mit pied à terre et se pencha sur le blessé. Bella s'apprêtait à l'assister quand l'homme se redressa. Une méchante coupure lui balafrait la joue ; il gémissait en se tenant le flanc, mais il ne semblait pas gravement touché. John coupa court à ses remerciements.

— Si vous vous sentez bien, filez. Ne retournez pas chez vous, ils peuvent encore venir vous y cueillir. Savez-vous où aller ?... Bon, alors allez-y et cachez-vous, enchaîna John comme l'autre acquiesçait d'un signe de tête.

L'homme grimaça, geignit, s'éloigna — et les deux jeunes gens demeurèrent ensemble, avec le prêtre qui se tenait à distance.

— Je suis navré que vous ayez assisté à une telle bagarre, fit John. Je vais vous raccompagner au presbytère.

— Je vous remercie, mais je suis indemne, affirma-t-elle, essayant de maîtriser le tremblement qui la secouait. Je n'ai pas besoin d'une escorte.

— Vous l'aurez tout de même, rétorqua-t-il en souriant.

Dans l'après-midi, au château, Bella mentionna l'incident dont elle avait été le témoin, et la marquise parut choquée.

— C'est terrible et révoltant de penser que vous avez été de si près mêlée à une affaire de la sorte — vous qui êtes déjà bouleversée par le chagrin.

— Ce malheureux homme a été brutalisé et maltraité. Si *sir* John n'était pas passé par hasard dans les parages, les autres auraient sans doute tué le pauvre diable.

— Sûrement pas, protesta William. Ils se seraient contentés de lui infliger une correction.

— Et vous les approuvez ? s'enquit la jeune fille.

— Evidemment non ! admit-il, hochant la tête. Et j'en toucherai deux mots à Purdy à l'occasion.

Bella fut soulagée de voir entrer le marquis qui lui tendit la main.

— Vous avez toute ma sympathie, mademoiselle.

— Je vous remercie, *milord.*

— Ainsi que mes excuses pour la grossièreté dont j'ai fait preuve à l'égard de votre père, ajouta-t-il en la fixant.

— C'était sans importance.

— Au contraire, et je le regrette... Je suis content de votre visite. Je craignais que vous ne soyiez repartie pour l'Angleterre.

— Cela ne tardera pas.

— Votre séjour à Kheilleagh n'a pas été très heureux.

— Non, mais il m'a du moins permis de rencontrer des gens sympathiques et pleins de bonté, comme les Dennison, par exemple.

Et Bella prit congé sur ces mots.

## CHAPITRE XVI

Le lendemain matin, Bella partit à cheval pour *Gillis House* où elle comptait faire ses adieux et restituer la jument qu'on lui avait prêtée. Dennison devait venir la chercher en voiture plus tard.

En apprenant que la jeune fille faisait ses préparatifs de départ, Johnny s'assombrit, mais il n'émit pas de réflexions en présence de ses sœurs. En revanche, plus tard, il entraîna Bella sous prétexte de lui montrer quelque chose dans son bureau. Et, quand ils furent seuls :

— Je vous supplie de reconsidérer votre décision de rentrer en Angleterre, dit-il.

— Inutile, John, c'est irrévocable !

Elle s'approcha de la fenêtre pour regarder audehors. Il la suivit et se tint, gauche, derrière elle.

— Bella... murmura-t-il.

— Oui ?

Elle ne se retourna pas.

— Il y a peu de temps que nous nous connaissons, mais vous me manquerez... J'aimerais que vous restiez.

— Il faut pourtant que je parte, riposta-t-elle en le regardant cette fois, souriante.

Il tendit une main dans laquelle elle glissa la

sienne. Avec plus d'élégance qu'elle ne l'aurait supposé, il porta les doigts de la jeune fille à ses lèvres pour les baiser.

Dans l'après-midi, alors que Bella se tenait près d'Adele en train de faire ses bagages, *lord* William se présenta chez les Dennison.

Il était venu saluer Bella. Et celle-ci fut surprise lorsqu'il refusa la tasse de thé que lui proposa Mme Dennison, mais il expliqua :

— Je me demandais, la journée étant splendide, si je parviendrais à convaincre mademoiselle Harley de m'accompagner en promenade ?

Les deux jeunes gens traversèrent le pont de bois et empruntèrent le sentier qui, de l'autre côté, s'écartait de la ville. Là, la rivière courait exactement sous la colline de Kheilleagh, si proche de la descente que l'on ne pouvait apercevoir le château. En bordure, l'herbe touffue était parsemée de marguerites et de boutons d'or, dont les longues tiges se couchaient sous la brise qui atténuait la chaleur du soleil.

Sur l'autre rive, des buissons serrés masquaient la route. Aucune habitation n'était en vue ; seule la nature environnait les deux jeunes gens, et l'on ne discernait d'autres bruits que le murmure de l'eau, le chant des oiseaux dans le lointain, le bruit des pas de Bella et de William. Tout était paisible, secret, désert.

Et brusquement, une construction se dressa qui atteignit Bella comme un choc.

— Comme c'est étrange ! Qu'est-ce que c'est ?

— C'est ce que l'on appelle *le Rendez-vous du marquis*, annonça William.

— Comme c'est romantique !

— Et l'histoire en est romanesque. C'est en ce lieu que mon arrière-grand-père a demandé à mon arrière-grand-mère de l'épouser. Elle est morte en donnant naissance à son second fils, moins de trois ans plus tard. Ce fut alors qu'il fit construire cette tonnelle. Et, lorsqu'il résidait à Kheilleagh, il descendait tous les jours par ce sentier, ajouta William, désignant de sa cravache la fourche proche d'où un chemin remontait le long de la colline. Il s'asseyait ici une demi-heure, contemplant la rivière et songeant à son amour disparu.

— C'est infiniment romantique. Triste aussi. Il venait tous les jours, disiez-vous ?

— Quand il était à Kheilleagh, oui. Mais, au risque de gâcher le conte, j'ai la conviction qu'il se dispensait de ce pèlerinage quand le temps était trop humide. Je vous signalerai également qu'il passait ses hivers en Italie, ses étés à Londres et ses automnes à la chasse en Ecosse.

Ils éclatèrent de rire ensemble.

Au lieu de s'asseoir près d'elle, il resta debout à la regarder. Cela dura si longtemps qu'un peu gênée elle demanda :

— Qu'y a-t-il ? J'ai du noir sur la figure ?

— Pas du tout. Vous ne portez que les marques de la beauté et de la santé. Je vous contemplais parce que, demain, vous serez loin. Je veux pouvoir me rappeler cette image quand les jours de grisaille viendront.

La note amoureuse était incontestable, et elle était bienvenue.

Il s'empara des mains de Bella et attira lentement la jeune fille contre lui. L'azur de ses prunelles était empreint de chaleur. La jeune fille ne distingua bientôt plus rien, car les lèvres de William se soudèrent aux siennes, les favoris de William lui caressèrent la joue, à la fois rudes et soyeux.

— Pardonnez-moi, Bella.

— Naturellement, fit-elle. Nous oublierons cet incident. Si nous reprenions la promenade ?

— Je vous aime, Bella. Je voudrais que vous deveniez ma femme.

Elle en fut aussi surprise qu'impressionnée. Ravie et pourtant un peu sceptique.

— Voyons, Billy, c'est un caprice d'été, provoqué par l'harmonie de ce cadre romanesque et du temps radieux. Reprenons notre marche.

— Certainement pas quand vous me traitez avec tant de légèreté et de désinvolture. Refusez-vous donc de me croire sincère ?

— Je pense que vous êtes convaincu de votre sincérité ; cela vous suffit-il ?

— Non, c'est...

— De la même façon que mon grand-père — votre oncle — était sincère quand il faisait serment d'épouser ma grand-mère. Peut-être en cet endroit précis, qui sait ? C'est exactement le lieu qui conviendrait pour une fille simple, non ?

— Sans doute. Mais, je suis un autre que mon oncle, et vous n'êtes pas une fille simple. Vous êtes infiniment douce, sûrement pas simple. Je vous épouserai ici à Kheilleagh dès que Dennison pourra publier les bans — ou en Angleterre, si vous préférez. Je me plierais éventuellement à l'idée de me marier à Zanzibar si c'est dans vos idées. Mais, en ce qui me concerne, le plus tôt sera le mieux, et le moins loin possible. O adorable Bella, dites oui ! supplia-t-il en lui étreignant les mains.

— C'est impossible, protesta-t-elle en quêtant son

regard. Vous êtes peut-être sincère et, dans ce cas, je suis très flattée de votre attention dont je vous remercie. Mais, cela ne marcherait pas, Billy ! Même si l'on écartait tout le reste, même si nous étions follement épris l'un de l'autre, vous ne pourriez pas épouser quelqu'un de ma condition. Ce serait insensé, et vous le savez.

— Je n'ai jamais rien fait de plus sensé.

Ils se dévisagèrent longuement. Le plaisir de la situation fit soudain place en Bella à une certaine anxiété.

— J'aimerais rentrer, avoua-t-elle d'une voix basse. Retournons à la maison, Billy, je vous en prie.

Il resserra l'étreinte de ses mains, mais elle se dégagea, et il n'insista pas.

— D'accord, si c'est ce que vous désirez ! Mais, je refuse d'en rester là. Il se peut que vous quittiez Kheilleagh demain, puis l'Irlande, mais je vous suivrai. J'irai vous rejoindre à Londres, je quémanderai une réponse favorable. Vous verrez qu'il ne s'agit pas d'un simple engouement de vacances.

Ils marchèrent en silence sur le chemin du retour. Bella était troublée, quelque peu déprimée. William semblait penser en avoir assez dit pour le moment sur le sujet. Quand ils parvinrent au presbytère, elle le pria de ne pas entrer, et, sans discuter, il dit simplement :

— Rappelez-vous que je vous aime, Bella, et Dieu vous bénisse.

Il y avait un cabriolet devant la porte ; Bella l'identifia comme celui de *Gillis House*.

Elle entra dans la maison et discerna les voix de Constance et de Maud.

Les deux jeunes filles étaient dans le salon en compagnie de Mme Dennison. Elles semblaient toutes trois consternées, et Bella s'inquiéta : à la voir livide, on eût pensé que la femme du pasteur était souffrante. Ce fut elle pourtant qui accueillit Bella en déclarant :

— Nous avons de terribles nouvelles...

Bella se crispa, se remémorant qu'on lui avait ainsi laissé présager la mort de son père. Chancelante, elle balbutia :

— Qu'y a-t-il ?

— C'est à propos de Johnny, bégaya Constance, au bord des larmes.

Bella se cramponna à une chaise :

— Il n'est pas... mort ? souffla-t-elle presque imperceptiblement.

— La police l'a arrêté cet après-midi.

Après l'horreur qu'elle venait d'imaginer sous toutes ses formes, Bella éprouva un intense soulagement. Mais, ses amies étant bouleversées ; elle demanda :

— Pourquoi ? Pour quel motif ? Sous quelle inculpation ?

— On l'a accusé d'être un *fenian,* gémit Maud.

— Est-ce... exact ?

— Non, pas pour Johnny, bien sûr !

— Ils attendaient quand le courrier est arrivé, expliqua Constance. Ils se sont emparés d'une lettre adressée à mon frère et ont déclaré après l'avoir lue qu'elle venait des *fenians.*

# CHAPITRE XVII

D'après les commentaires, et les réactions de Constance particulièrement, Bella en était arrivée à la conclusion que les deux filles Gillis considéraient leur frère avec autant d'indulgence amusée que d'affection. Elle ne s'attendait pas à voir chez elles un tel désarroi. Elles semblaient privées d'un frère, mais aussi de la source principale de leur force, et elles étaient apparemment incapables d'imaginer ce qu'il fallait faire.

Elles étaient venues chercher conseil auprès du seul homme de leurs relations qu'elles estimaient en mesure de les aider : Dennison. Celui-ci rentra d'une visite peu après l'arrivée de Bella, et la jeune fille devina aussitôt que Maud et Constance allaient être déçues par le pasteur.

Bella comprit qu'elle l'avait cru courageux simplement parce qu'il les avait hébergés, elle et son père, en dépit du mécontentement dont témoignerait vraisemblablement le marquis. Elle constatait à présent qu'un homme faible de caractère pouvait s'amuser à jouer un rôle irritant, même s'il n'avait pas le cran nécessaire pour soutenir ce qui était un défi à l'autorité. Au fond, il avait désespérément peur et se refusait à s'associer à tout ce qui risquait de menacer cette société qui le portait.

— Que devons-nous faire, monsieur le pasteur ? s'enquit Constance.

— La prière peut nous aider. Je prierai pour Johnny et pour vous dans votre détresse. Je vous conseille d'en faire autant.

Exceptionnellement, Constance était sans ressort, et elle fit, sur le ton d'un enfant suppliant :

— Je me demandais s'il ne serait pas bon que quelqu'un descendît à Castlebar voir l'inspecteur du comté..., lui parler, lui expliquer qu'il est insensé de soupçonner Johnny...

— Cela ne servirait à rien, trancha le pasteur avec fermeté. Et cela ne nous mènerait nulle part. Je vous garantis que la police va examiner l'affaire très sérieusement. Ils s'apercevront alors de leur erreur, et Johnny sera libéré.

— Mais...

— Ce sera vite fait, insista-t-il d'un ton joyeux. Ils constateront leur erreur dès qu'ils l'auront emmené à Westport. A mon avis, vous le récupérerez d'ici à ce soir.

— Mais, si quelqu'un allait discuter avec monsieur Hill, l'inspecteur...

— Il connaît Johnny, laissez-le rétablir l'ordre et la situation. Entre-temps, priez comme nous prierons tous.

— Merci de votre bonté, monsieur Dennison, dit Maud.

A ses intonations, Bella pressentit qu'elle avait dû comme elle évaluer l'assistance que l'on pouvait obtenir du pasteur. Constance, qui paraissait prête à argumenter plus avant, finit par y renoncer.

— Je suis persuadé que tout s'arrangera, déclara le pasteur. Aimeriez-vous rester dîner avec nous ?

— Non, je vous remercie, fit tristement Constance. Il vaut mieux que nous rentrions.

— Si vous estimez préférable...

Il réussit à dissimuler son soulagement, et Constance eut un sourire triste.

— Absolument. Après tout, vous avez sans doute raison, et Johnny est peut-être déjà sur le chemin du retour.

Madame Dennison s'excusa de ne pouvoir sortir de la maison à cause de son genou, mais Bella accompagna les jeunes filles à leur voiture. Elle fit de son mieux pour les réconforter, se gardant de répéter les platitudes du pasteur, sinon en les rendant plus convaincantes.

— J'aurais aimé que quelqu'un pût aider mon frère, avoua Constance.

— C'est à cause de cette lettre, renchérit sa sœur. Le policier qui a appréhendé Jonnhy l'a lue, et, d'après lui, il y était question d'armes, de soulèvement. Et elle était signée d'O'Conor Power.

C'était probablement le nom d'un chef *fenian*. Remarquant la mine tourmentée de ses amies, Bella se demanda si l'accusation était justifiée. Ignorant pratiquement tout des *fenians*, le mouvement lui-même ne signifiait pas grand-chose pour elle, mais il comptait manifestement beaucoup en Irlande. Pour un homme comme John, rejoindre ce mouvement de la fraternité irlandaise équivaudrait à se marquer triplement au fer rouge de la trahison à la couronne, au pays, à son milieu. Un milieu qui n'avait pas moins d'importance que la couronne ou le pays. Bella commença à comprendre la raison du bouleversement des deux sœurs.

Mais, tandis qu'elle regardait la voiture disparaître sur la route, elle restait confondue par la mollesse de leur réaction. Repartant sans obtenir de Dennison l'aide qu'elles en espéraient, elles courbaient l'échine en vaincues. Tout cela alors que John avait précisément besoin d'assistance. Mais, ce n'était pas du pasteur qu'il l'aurait. Et pas davantage du marquis qui ne serait probablement que trop content de se débarrasser d'un personnage encombrant. Elle pensa alors à *lord* William.

Pesant le pour et le contre, consciente d'être personnellement rebutée par la tâche, elle envisagea une solution possible — Kavanagh O'Flinn. Avocat influent à Dublin, n'ayant pas dans le pays d'intérêts particuliers, c'était visiblement l'homme à consulter.

Plutôt que de déranger le pasteur en le priant de la conduire dans la carriole, Bella préféra marcher jusqu'au *Royal Hôtel*. Quand elle eut réclamé O'Flinn, elle ne patienta pas longtemps dans le petit salon orné de tableaux représentant le pape, la Vierge Marie, ou encore saint Patrick dirigeant un nœud de serpents dans la mer. O'Flinn arriva, la main tendue.

— Je suis content que vous soyez venue, mademoiselle. Dans le cas contraire, je serais allé vous rendre visite. Puis-je vous offrir un rafraîchissement ? du sherry ? de la citronnade ?... Vous ne voulez vraiment rien ? Bien, mais me permettez-vous de m'offrir un verre de bière brune ?

Après avoir passé commande, il s'enfonça dans un fauteuil qui craqua sous son poids.

— Je n'ai pas pour vous de bonnes nouvelles, avoua-t-il.

— Ce ne sont pas mes affaires personnelles mais une chose bien différente qui m'amène, monsieur.

Il la considéra avec politesse et l'invita du geste à poursuivre :

— Je vous écoute.

Il le fit avec attention et sans l'interrompre. Et elle parla dans un silence que ne troublait qu'un serveur qui chantait au-dehors. Au bout d'un moment, O'Flinn dit :

— J'en ai entendu les lignes générales, mais je crains que l'on ne puisse y remédier.

— Il y a certainement un moyen ! Les sœurs de John Dungillis, ainsi que les Dennison, sont convaincues que l'accusation ne repose sur rien.

— C'est une réaction normale pour des amis ou des parents. Regardant un assassin brandir une tête ensanglantée, ils n'en croiraient pas leurs yeux. Ah ! je vous garantis que je sais de quoi je parle, mademoiselle !

Il secoua la tête, rejetant ainsi toute protestation.

— En admettant que ce soit vrai, il y a des démarches à faire, insista la jeune fille. Il a besoin de quelqu'un pour le défendre, d'un conseil qui s'exprimera en son nom...

— Pour cela, rien ne presse. L'accusation n'a pas encore été définie, l'inculpation n'est pas prononcée officiellement. Quand ce sera fait, il y aura un processus à suivre. La justice irlandaise a plus de mérite que les Anglais n'ont parfois tendance à le croire. Et le tribunal n'est pas démuni au point qu'un homme ne puisse défendre un quelconque procès, même le procès qui n'en vaut pas la peine. Mais, le défenseur ne sera pas moi, mademoiselle Harley. Ma clientèle me réclame avec insistance, je n'ai que trop longtemps été absent de mon étude.

» C'est d'ailleurs ce que je me vois dans l'obligation de vous annoncer concernant votre affaire personnelle. J'ai rencontré le marquis et je crains qu'il n'y ait aucun espoir de l'obliger à céder du terrain. Je suis assez psychologue pour savoir jauger un bravache. Cet homme-là s'en tiendra aux instructions qu'il a données à son homme de loi : il ne versera pas un sou. Il affirme que nous bluffons, et nous n'avons d'autre choix que de nous résigner à la défaite. En justice, votre procès est sans espoir, je vous l'ai dit. Aller au tribunal, cela signifierait jeter l'argent par les fenêtres.

— C'est sans importance, déclara-t-elle.

— Je suis heureux que vous fassiez preuve d'une telle philosophie. J'aimerais néanmoins vous donner un dernier conseil, mademoiselle Harley.

Ce conseil étant gratuit, il ne devait pas valoir grand-chose, mais Bella acquiesça sans souffler mot.

— Ne tardez pas trop à quitter Kheilleagh, enchaîna-t-il. Cela n'a rien à voir avec l'échec de l'entreprise de votre père, mais des troubles se préparent, et cette histoire de *sir* John Dungillis en fait partie. Kheilleagh n'est pas un lieu sûr pour une jeune femme sans protection.

— J'ai déjà loué ma place dans la diligence à destination de Westport pour demain matin.

— Parfait ! J'emprunterai moi-même cette diligence. Je serai très honoré de pouvoir vous tenir compagnie pendant le voyage.

Il n'en pensait pas un mot, mais elle était trop déprimée pour le deviner.

# CHAPITRE XVIII

Madame Dennison avait formellement déclaré qu'elle se lèverait tôt afin d'aller accompagner Bella au départ de la diligence. Malgré les protestations de Bella, elle avait fermement énoncé cette intention pendant que son mari et elle avalaient un chocolat chaud avant de prendre leurs chandelles pour regagner leurs chambres. Cependant, Bella ne s'étonna pas du message que lui transmit Adele pendant qu'elle s'habillait. Ayant passé une mauvaise nuit, Mme Dennison se sentait trop faible pour se lever et priait Mlle Harley de la venir voir avant de partir.

En pénétrant dans sa chambre, Bella la trouva adossée à ses oreillers, la voix affaiblie, mais élégamment vêtue d'une chemise de nuit de soie bleue et coiffée d'un bonnet de dentelle. Elle renouvela ses remerciements et s'entendit affirmer que les Dennison avaient été très heureux de la recevoir.

On eût dit que Kheilleagh avait choisi d'arborer son meilleur visage pour son départ. Le cabriolet cahota sous un ciel aussi bleu que blanc, avec des nuages cotonneux noyés dans un océan d'azur ; les nuages semblaient fuir le soleil. Les propriétés de tons pastel délavés, qui dissimulaient à l'abri des volets clos des intérieurs sordides, apparaissaient ravissantes. Le château lui-même, au sommet de la colline, avait revêtu un manteau de paix doré.

Grâce à cela, à la satisfaction qui l'envahissait devant les perspectives d'un nouvel avenir, Bella était loin de prévoir le choc qui la cueillit lorsqu'ils approchèrent du pont et de la rue principale. Tout d'abord, ils perçurent dans le lointain un bruit confus d'où, peu à peu, cris et appels s'élevèrent, de plus en plus distincts. Puis, au moment où la voiture vira au carrefour, Bella s'aperçut qu'une foule bloquait la rue deux cents mètres plus loin. C'étaient des hommes surtout, mais, parmi eux, on apercevait le jupon clair d'une femme.

Danny freina le cheval. Près de la jeune fille, le pasteur demanda :

— Qu'y a-t-il ? Que se passe-t-il ?

— Quelques ennuis, monsieur.

— Hé ! je le vois bien ! Quel genre d'ennuis ?

Bella remarqua les uniformes rouge et bleu, éclairés par des boutons dorés. C'étaient ceux des hommes du marquis.

— On avait raconté que la prochaine expulsion ferait du tapage, expliqua Danny. Ils doivent être dans la maison de Brian, ceux-là.

— A cette heure matinale, on fait des expulsions ?

— Ils ont pu penser que ce serait plus facile puisque les intéressés ne s'y attendaient pas. C'est dans la manière d'agir de monsieur Purdy.

— Nous ferions mieux de rentrer, suggéra Dennison. Faites demi-tour, Danny.

Bella crut voir sa main trembler et elle observa :

— Mais, la diligence...

— On l'entrepose dans les écuries de Gilligan. Le cocher ne tentera pas de franchir cette foule en délire.

Et la diligence partira peut-être plus tard ; nous enverrons quelqu'un aux renseignements.

Danny tira sur les rênes afin de faire faire demi-tour à la voiture. En admettant que ce qu'il avait dit à propos de la diligence fût vrai — c'était probablement le cas —, l'idée de faire marche arrière au moment où elle s'apprêtait à quitter le pays fut pour Bella un amer désappointement.

— Attendez, je crois que cela touche à sa fin ! protesta-t-elle.

Mais, un coup de feu s'ensuivit, et Dennison rétorqua :

— Non ! Nous ne pouvons vraiment pas traîner par ici. Je me dois de penser à votre sécurité, Bella.

Pourtant, la jeune fille ne s'était pas trompée. L'échauffourée s'achevait. Incroyable ! c'étaient les silhouettes en uniforme qui faisaient retraite, dévalant la rue en courant à toutes jambes, puis s'engageant dans une ruelle adjacente sous les cris triomphants et les jets de pierres de leurs adversaires. Freinant le cabriolet en travers de la rue, Danny regarda par-dessus son épaule.

— Formidable ! ils ont mis les hommes du marquis en déroute ! s'exclama-t-il, ravi. Voilà un spectacle qu'on n'a pas vu à Kheilleagh depuis plus d'un siècle !

— Ce n'est peut-être qu'une retraite passagère, observa Dennison. Et ils risquent de revenir.

— Oh ! non, pas ceux-là ! persifla Danny en se grattant la tête. Regardez-les détaler sur la colline pour regagner leurs foyers !

On distinguait en effet les fuyards par une brèche entre les maisons. Un ou deux de leurs ennemis les pourchassèrent quelque temps, mais y renoncèrent quand ils constatèrent qu'ils étaient seuls et se contentèrent de hurler des insultes.

La rue principale de Kheilleagh retrouva le calme aussi soudainement qu'elle était devenue un lieu de tumulte. Bella remarqua qu'ils n'avaient plus de raison à présent de ne pas se rendre au *Royal Hotel.* Le pasteur se soumit à regret à cette suggestion.

Comme toujours ou presque, la diligence n'arriva pas à l'heure. Ils attendirent devant l'hôtel, en compagnie d'O'Flinn, cependant qu'à l'arrière-plan on bavardait avec passion de l'escarmouche et de ses conséquences.

Enfin, la diligence survint en cahotant, et l'on empila les bagages sur son toit. Les passagers s'apprêtèrent à s'installer à bord, et Dennison tendait déjà la main pour aider Bella à grimper la marche, quand on perçut un bruit de sabots ferrés débouchant du sud.

— Une voiture du château, annonça le pasteur qui suspendit son geste.

C'était le coupé blanc frappé de l'écusson des Malindine qui avait ramené Bella précédemment. Deux cavaliers le précédaient : *lord* William et Purdy, le régisseur du marquis. Purdy serrait les rênes dans une main et un pistolet dans l'autre. Assis près du cocher, un homme appuyait un fusil contre son flanc.

*Lord* William éperonna son cheval et s'avança vers Bella.

— Dieu merci, vous êtes sauve, Bella !

— Mais..., pourquoi ne le serais-je pas ?

— Il y a eu... un soulèvement, une émeute.

— J'en ai été témoin, oui. Mais, tout est redevenu calme, ainsi que vous le voyez.

Elle désigna du geste les citoyens de Kheilleagh

réunis devant le *Royal Hotel*. Ils avaient des chopes entre les mains, et leurs visages exprimaient l'intérêt. Ils ne faisaient pas mine de s'approcher du coupé ni de reculer devant les fusils brandis vers eux. Ils semblaient surtout curieux.

— C'est peut-être tranquille maintenant, mais cela ne durera pas, fit William d'un ton bas afin de n'être entendu que de la jeune fille et de ses deux voisins. Il y a eu des troubles dans tout le pays. Il serait trop risqué pour vous d'aller aujourd'hui à Westport.

— Il faut que j'y aille, voyons !

— Non !

— Et si les troubles s'étendent ici, vous l'affirmez apparemment, il serait sûrement aussi dangereux de rester que de partir ?

— C'est pour cela que Donald vous envoie la voiture. Vous allez monter au château ; vous y serez en sécurité jusqu'à ce que le calme se rétablisse.

Elle en resta à la fois médusée et mécontente.

— Remerciez le marquis de sa générosité, mais il m'est impossible d'accepter son invitation.

— Il n'est pas question que vous refusiez, Bella. Il se considère comme personnellement responsable de votre vie dans cette région, d'autant que vous êtes dénuée de toute protection. Il se peut très bien que la diligence soit attaquée dans les collines.

— Je ne suis pas seule ; monsieur O'Flinn voyagera avec moi, annonça-t-elle, désignant l'imposante carrure de l'avocat.

Pendant qu'elle discutait, O'Flinn s'était penché pour déboucler son sac de voyage d'où il extirpa un pistolet qu'il frotta tranquillement sur la manche de son manteau.

— J'ai écouté avec intérêt les propos de *lord* William, dit-il. Pour ma part, ce genre d'ennuis ne me gêne pas. Je me charge de mater tous ces vauriens de paysans qui auraient la témérité d'attaquer la diligence dont je serai un passager.

— Vous voyez, Billy ! fit la jeune fille.

— Mais, dans le cas de mademoiselle Harley, la situation est différente. Vous avez raison, *lord* William, il faut éviter de l'exposer à d'éventuelles agressions. Votre frère le marquis fait preuve d'une infinie délicatesse en proposant d'héberger mademoiselle Harley jusqu'à des jours plus sereins, et elle n'a pas d'autre solution que d'accepter.

— Monsieur O'Flinn, enfin...

— Suivez le conseil d'un homme plus âgé et plus raisonnable, mademoiselle, coupa-t-il, impassible et résolu. Tout sera vraisemblablement réglé dès demain, vous n'aurez donc qu'un jour de retard... Une telle racaille ne troublera pas longtemps la paix, persifla-t-il, méprisant, en considérant la foule devant l'hôtel.

— Monsieur Dennison..., pria la jeune fille en se tournant vers le pasteur.

— Ces messieurs ont raison, Bella. Le château sera pour vous un abri plus sûr tant que la situation ne sera pas éclaircie. Personnellement, je vais me hâter de retourner auprès de ma femme. Les bruits circulent vite, et elle peut s'inquiéter.

La rancœur de Bella s'accentua. Elle hocha la tête d'un air résigné, et William lui proposa :

— Venez vous installer dans le coupé.

Pendant que Purdy surveillait le transbordement des bagages, Bella alla s'asseoir, sans plus discuter, dans la voiture.

La marquise se montra aimable et volubile. Elle répéta inlassablement à quel point elle était contente que son beau-frère eût réussi à atteindre la jeune fille avant le départ de la diligence.

Bella avait résolu de faire bonne contenance à l'égard du marquis ; devant sa mine, la jeune fille sombra à nouveau dans la morosité. Il fit, à Purdy, une allusion qu'elle ne saisit pas à propos d'armes et l'envoya régler l'affaire. Alors seulement, il se tourna vers Bella :

— Je suis content que vous soyez ici en sécurité, mademoiselle, fit-il avec brusquerie.

— Oh !... je vous en suis très reconnaissante, monsieur ! fit-elle avec un calme contraint.

Il la dévisagea. Devant la dureté qui le rendait si laid, presque hideux, elle eut envie de se détourner, mais elle parvint cependant à souder son regard au sien. Ce fut lui qui baissa les yeux avant de considérer sa femme quand celle-ci lui parla. Elle le pria de lui expliquer pour quelle raison le peuple se comportait de la sorte, et ce qui l'avait exaspéré.

— Tout va s'arranger, je te le garantis, il n'y a pas de quoi t'inquiéter.

— Mais, enfin, pourquoi ? insista-t-elle.

— Pourquoi ? fit-il, manifestement fou d'une colère qui n'était pas dirigée contre sa femme. Mais, à cause de ce maudit John Dungillis, naturellement !

— John ? répéta vivement Bella. Mais..., comment cela se pourrait-il ? On l'a arrêté hier !

— Il a réussi à s'échapper. Il est quelque part dans les collines, et les ragots vont bon train. Ces idiots racontent qu'il fomente une révolte ! Mais on l'écrasera !

## CHAPITRE XIX

Il plut à longueur de journée. Le vent tomba, mais cela ne fit qu'augmenter le déluge qui s'abattait du ciel bas et sombre. Les gouttières courant le long du toit du château gargouillèrent bruyamment et des ruisseaux en dégoulinèrent, descendant jusqu'à la ville. Devant tant de violence, on se serait cru à la veille de la fin du monde, et cela se poursuivit pratiquement sans s'atténuer.

Pendant le déjeuner, le marquis s'en plaignit en grommelant. Il avait espéré envoyer la majorité de ses hommes en ville au cours de la matinée — il ne fallait aucun retard pour faire savoir où résidait l'autorité, déclara-t-il — mais, en pareilles circonstances, c'était impossible. Les hommes seraient noyés en route, du moins trempés, et incapables d'accomplir leur expédition punitive.

— Dieu est peut-être devenu papiste, suggéra William en riant de sa propre plaisanterie.

Mais le marquis, d'un froncement de sourcils, lui imposa silence. Tambourinant du bout des doigts sur la table en acajou, il vida ensuite son verre, vexé plus qu'assoiffé.

— Le temps s'adoucira peut-être dans l'après-midi, insinua la marquise.

L'air sinistre et pessimiste, son mari regarda par la fenêtre.

— J'en doute, dit-il. A mon avis, il y en a pour la journée.

Purdy formait le cinquième personnage de la tablée.

— Ce temps peut au moins apaiser l'ardeur des excités, remarqua-t-il. Après une bonne douche, il se peut qu'ils ne soient plus aussi agressifs. En fait, cela leur fera certainement du bien d'avoir le loisir de réfléchir.

— Vous avez peut-être raison, Purdy, admit le marquis qui vida avec plus d'entrain le verre que le maître d'hôtel venait de lui remplir. Oui, cela peut être utile.

— J'en suis convaincue, renchérit sa femme. La pluie leur rendra le bon sens. Vous ne buvez pas, mademoiselle Harley ? Le vin n'est-il pas à votre goût ?

— C'est du haut-brion, et je ne bois rien d'autre, assura le marquis.

Et il joignit le geste à la parole.

— On raconte que c'est un Irlandais qui a découvert ce cru, déclara William ; un certain O'Brien.

Une plaisanterie qui, une fois de plus, tomba à plat.

— Il est excellent, mais je n'ai pas l'habitude du vin, avoua Bella.

— Vous n'êtes pas irlandaise, mademoiselle, si vous n'avalez pas de temps à autre une gorgée de vin, observa Purdy en souriant.

Ce sourire ne faisait que changer son expression ordinaire en une autre, aussi froide. L'homme était insolent, de l'avis de Bella, sans qu'elle pût exactement définir son impression, car le ton était calme. Bella s'interrogea de nouveau sur la situation et l'influence de Purdy chez les Malindine. Elle avait déjà noté que son intervention avait suffi à modifier l'humeur du marquis. Quand le sourire s'effaça, l'homme transperça, du regard, la jeune fille qui répliqua :

— En effet, je ne prétends aucunement être irlandaise, pour la bonne raison que je ne le suis pas.

Après le déjeuner, William s'efforça de distraire Bella, d'abord en jouant avec elle au backgammon puis en bavardant...

Le dîner serait servi à vingt heures trente, et on avertit Bella qu'un bain l'attendrait dans sa chambre à dix-neuf heures. Avec l'approche du crépuscule et le plafond bas du ciel d'orage, il faisait presque nuit quand la jeune fille monta, et on avait allumé des lampes à huile sur le palier.

Bella était seule, après avoir pris congé de William en bas. Parvenue en haut des marches, elle hésita sur la direction à emprunter.

Le couloir, noyé dans une demi-pénombre, était identique de chaque côté, et, aussi absurde que cela parût, Bella se rendit compte qu'elle s'était précédemment contentée de suivre la femme de charge sans trop se soucier du chemin suivi.

Elle constata avec soulagement qu'elle se souvenait du moins que sa porte était la quatrième. Elle la poussa et entra — pour s'apercevoir aussitôt qu'il ne s'agissait pas de sa chambre.

Cette pièce, plus meublée que celle qui lui avait été attribuée, avec surtout une immense penderie en chêne sombre, était manifestement un domaine masculin.

A la seconde même, une voix d'homme retentit qui la figea sur place. Une porte sur la droite, communiquant sans doute avec la chambre voisine, était entrebâillée. Et, dans la pièce adjacente une lampe brillait. Une voix féminine répondit à l'autre voix, et Bella identifia le timbre de la marquise. Elle conçut aussitôt la topographie des lieux — elle avait pénétré dans le vestiaire du marquis qui jouxtait la chambre du couple.

Brusquement saisie de panique, elle se dit qu'il serait affreux d'être surprise en train de commettre une indiscrétion pourtant involontaire. Par chance, apparemment, on ne l'avait pas entendue et elle allait s'efforcer de s'éclipser en faisant le moins de bruit possible. Sans se presser, elle se dirigea sur la pointe des pieds vers la porte d'entrée, et elle avait déjà la main sur la poignée lorsque l'homme parla de nouveau : Bella reconnut cette fois la voix, non pas du marquis, mais de Purdy.

Ce qu'elle perçut l'horrifia. Elle n'en crut pas ses oreilles lorsque la voix de la marquise s'éleva, claire, pour ordonner :

— Pas maintenant, Purdy. Maîtrise-toi, je t'en prie.

C'était le ton de commandement que l'on pouvait avoir à l'égard d'un domestique privilégié.

— Il est dehors en train d'inspecter ses troupes, nous disposons d'une bonne heure.

Bella souhaita plus que jamais s'éloigner. Elle tourna doucement le bouton de la porte, mais la marquise reprit avec une autorité sèche :

— Non, je ne veux en aucun cas parler de cette petite.

— Je ne saisis toujours pas pourquoi il fallait l'amener ici. S'il devait y avoir des troubles, mieux valait sûrement la laisser s'y empêtrer.

— On l'a amenée, Purdy, parce que j'ai besoin d'en savoir davantage sur elle. Je ne suis pas du tout satisfaite de ce que Bannion nous a rapporté d'O'Flinn. Avec sa réputation de ruse, l'homme a aisément pu faire croire à Bannion que son défi serait relevé. La petite se rendait avec lui à Westport dans la diligence. Nous ignorons quelles étaient leurs intentions ensemble ou séparément.

Les propos, le ton sur lequel on les prononçait, tout cela avait quelque chose d'effrayant. Bien que reconnaissable, la voix de la marquise avait des intonations différentes. Son accent joliment affecté de poupée était cassant, acéré. Ce n'était pas la façon de parler d'une fausse ingénue ni celle d'une épouse gâtée, mais plutôt celle d'une femme résolue, énergique, intelligente.

Bella crispa ses doigts sur la poignée de la porte. Elle était partagée entre l'envie de disparaître et celle d'en savoir plus long. Et elle attendit jusqu'à ce que Purdy reprît :

— S'ils avaient mijoté quelque chose, O'Flinn n'aurait-il pas cherché à garder la jeune fille avec lui ? Il semblait plutôt pressé de se débarrasser de sa présence.

Dans le rire de la marquise, filtra un tintement métallique que Bella ne connaissait pas.

— Tu imagines donc O'Flinn aussi simple que toi ? Il lui convenait sans doute — il leur convenait à tous deux d'avoir quelqu'un dans la place. Et la petite est elle-même assez lucide. Rappelle-toi sa manière de répliquer quand tu l'as taquinée de ne pas se conduire en Irlandaise.

— De toute façon, nous ignorons ce qu'elle sait.

— Précisément, nous ne savons ni ce qu'elle sait ni ce qu'elle détient. Si son père possédait une preuve du mariage, c'est probablement elle qui la détient actuellement.

— Tu sais bien que j'ai fouillé ses effets dans l'après-midi, en vain.

Un étourdissement gagna Bella. Purdy fouillant ses bagages... c'était à la fois affolant et répugnant. Une preuve du mariage ? S'agissait-il de l'union de ses grands-parents ? L'allusion ne pouvait concerner un autre événement. Et, dans ce cas...

— Tu peux chercher dans ses affaires, mais pas sur elle, objecta la marquise. S'il existe un document, c'est incontestablement sur elle qu'elle le dissimule. Elle en connaît la valeur autant que quiconque.

— Mais, ce document, il aurait dû être transmis à un homme de loi qui s'en serait servi.

— Je ne faisais pas allusion à l'acte de mariage, fit remarquer la marquise, impatientée, mais à une simple lettre peut-être. Ce que j'essaie de te mettre dans la tête, c'est que, s'il y a quelque chose à découvrir, nous avons une chance de le faire pendant qu'elle sera ici — mais plus du tout dès l'instant qu'elle quittera Kheilleagh.

— Je sais, mais je ne vois pas comment...

Sa voix était plus forte, et des pas l'accompagnèrent, s'approchant de la porte entrebâillée. Bella se glaça à l'idée que la porte allait s'ouvrir à la volée pendant que le regard de Purdy dévoilerait sa présence. Tournant rapidement la poignée, elle se faufila dans le couloir. Après avoir refermé le battant aussi doucement que possible, elle se pétrifia sur place, le cœur battant.

— Bella ! appela une voix.

En pivotant, elle vit *lord* William qui s'avançait à sa rencontre.

— Je vous en prie..., souffla-t-elle.

Elle demeura interdite, cherchant ses mots, mais le jeune homme vint à son secours. Il avait deviné sa détresse et lui aussi baissa le ton :

— Venez, ordonna-t-il.

Il l'entraîna vivement dans le couloir. Elle redoutait à chaque seconde d'entendre la porte s'ouvrir derrière elle et la voix de Purdy s'élever, mais rien de tel ne se produisit. Quand ils parvinrent à l'escalier, elle se retourna et constata qu'à la lueur des lampes à huile le couloir apparaissait désert.

— Voici votre chambre, dit William en s'immobilisant devant la quatrième porte après l'escalier, de l'autre côté du palier... Que diable faisiez-vous là-bas ?

— Je me suis trompée de côté..., bégaya-t-elle péniblement.

Il la considéra de près sous la lampe devant la porte de sa chambre.

— Vous semblez bouleversée. Que s'est-il produit ? C'était de chez Donald que vous sortiez. S'est-il passé quelque chose qui vous a troublée ?... Il ne vous a pas... manqué de respect ?

— Non, ce n'était pas...

Elle eut soudain conscience de l'importance des propos qu'elle avait surpris. Elle était environnée non pas d'étrangers mais d'ennemis : la marquise, calculant froidement les raisons de l'introduire dans le château ; Purdy tripotant ses vêtements de ses mains curieuses...

Bella avait terriblement besoin d'un ami, d'un allié. Son seul espoir résidait en la personne de l'homme qui était près d'elle.

— Il faut que je parte d'ici, Billy ; voulez-vous m'aider ?

— Partir ? Je ne saisis pas... Etes-vous sincère en affirmant que Donald ne vous a pas manqué de respect ? insista-t-il, le masque durci. Seigneur, si jamais...

— Le marquis n'était pas là, confia-t-elle.

— Alors, qui ?

— Purdy... et la marquise. J'avais poussé par erreur une porte, croyant que j'étais dans ma chambre. Ils se trouvaient dans la pièce voisine dont la porte était entrebâillée, et j'ai surpris leur dialogue.

— A quel sujet ?

— Je n'avais pas l'intention d'être indiscrète, mais c'était de moi qu'il était question.

Elle ne se sentait pas capable de rapporter les premières phrases du dialogue qui l'avaient tant scandalisée.

— Que disaient-ils ? insista le jeune homme.

Elle répéta ce qu'elle pouvait de l'entretien. Après quoi, il observa :

— Lorsque Purdy est arrivé pour relater les troubles qui s'étaient produits en ville, c'est Clara qui a suggéré que l'on vous envoie chercher pour vous ramener ici. J'en ai été naturellement heureux mais surpris. Ce n'est pas dans son habitude de se tracasser pour autrui. C'est une femme froide et dénuée de cœur.

— Vous le savez ?

— On ne peut pas vivre aussi longtemps dans son entourage sans le constater. Elle arbore un air de douceur quand elle est en société, et elle fait merveille, mais, sous ses dehors aimables, elle est impitoyable. Et forte. Je vous ai signalé l'influence de

Purdy sur Donald dans l'affaire des expulsions. J'aurais également pu vous signaler que Clara avait une influence encore plus puissante et plus venimeuse, mais j'étais persuadé que vous ne me croiriez pas. Aucun étranger à la vie du château ne le croirait.

Elle l'admit volontiers, mais elle n'avait pas envie de discuter de la marquise. Il y avait plus important, et elle pria :

— Vous m'aiderez à fuir, n'est-ce pas ?

— Non.

— Pourquoi ?

Le visage de William était résolu, ce qui était rassurant, et ne révélait aucune peur.

— Vous rendez-vous compte de ce que signifie la conversation que vous avez surprise, demanda William.

— Je... Non, pas exactement !

— Cela signifie que votre père avait raison depuis le début. Mon oncle était légalement marié à votre grand-mère, mais il est mort avant d'avoir pu hériter. Autrement dit, c'est à votre branche, non à la nôtre, que va la succession. Votre père aurait dû être marquis, et vous êtes de droit la marquise de Kheilleagh.

— Je n'ai rien revendiqué.

— Mais, il faut que vous le fassiez, protesta-t-il en lui saisissant la main. C'est votre dû, et vous l'obtiendrez. Il ne faut pas laisser la branche familiale à laquelle j'appartiens vous déposséder.

— Non, je ne veux pas...

— La situation est plus favorable que vous ne l'imaginez. Vous les avez surpris alors qu'ils ne se savaient pas observés, ils n'ont donc aucune raison de vous soupçonner. Clara triche, mais vous avez des atouts. D'après ce que vous avez entendu, Purdy a passé vos bagages en revue, cherchant la moindre preuve qui pourrait y être dissimulée ?

— Oui. Mais, franchement, Billy, je ne veux rien. Mieux vaut que je m'éloigne aussi tôt que possible ; dès ce soir, par exemple.

— Je sais, murmura-t-il en lui levant le menton. Mais je ne vous y aiderai pas. Après tout, vous êtes ici chez vous. C'est vous et non Clara qui devez être la maîtresse de ces lieux.

Il paraissait intraitable sur ce sujet, et son obstination même était réconfortante.

— Vous prendrez garde ? s'enquit-elle, anxieuse.

— Faites-moi confiance, et il ne vous arrivera rien.

— Je voulais dire « prenez soin de vous ».

— Ne vous inquiétez pas, affirma-t-il en s'inclinant pour l'embrasser. Je m'occuperai de tout et je suis de taille à le faire.

La femme de chambre avait étalé sa robe du soir ainsi que ses vêtements pour la nuit, mais, pour le reste, rien n'indiquait que l'on avait fouillé les bagages. Bella ouvrit ses sacs de voyage et en examina attentivement le contenu. Tout était en ordre : jamais elle n'aurait deviné que quelqu'un était passé par là ; Purdy était un espion soigneux et ordonné.

# CHAPITRE XX

La soirée s'écoula mieux que ne l'avait prévu Bella. Elle éprouvait une étrange répugnance à l'idée de retrouver son hôtesse et elle dut se raidir pour descendre l'escalier. Mais la marquise se montra aussi candide et charmante qu'à l'ordinaire, complimentant Bella sur son allure et sa toilette, et la jeune fille, malgré son ennui, reprit vite son aisance.

Bella fut soulagée de constater que le marquis lui accordait peu d'attention. Il ne se consacrait qu'au repas, émettant de temps à autre une banalité sur le temps. Son regard ne quittait la table que pour se fixer sur les fenêtres sur lesquelles le martèlement de la pluie était nettement audible. C'était manifestement le seul sujet de conversation dont il se souciât. Il souhaita à diverses reprises que ce maudit temps s'éclaircît le lendemain, car il tenait à ce que ces hommes pussent se rendre en ville dès que possible.

Bien que la soirée se passât plus agréablement qu'elle ne l'appréhendait, elle s'excusa de bonne heure en prétextant la fatigue.

Dans la chambre de Bella, il faisait chaud ; un feu brillait gaiement derrière son pare-étincelles. Une lampe brûlait sur la coiffeuse, une autre sur la table de chevet. L'ameublement était confortable et plaisant à l'œil, grâce en particulier au couvre-pied de satin jaune, brodé de roses rouges. En somme, si Bella avait pu oublier les circonstances qui l'avaient amenée à s'installer au château et celles qui l'environnaient, elle aurait pu considérer que cette aventure lui offrait une agréable incursion dans le luxe et la grande vie.

Quand Bella descendit le lendemain matin, elle découvrit que le marquis et ses hommes étaient déjà partis. Le jour était sombre, mais la pluie s'était provisoirement interrompue. Des nuages avançaient, procession lente et solennelle venue de l'ouest pour traverser la vallée détrempée.

La marquise était déjà dans la salle à manger, toute menue et vive, l'air fragile dans une robe de soie noire à corsage noir et blanc, et elle s'inquiéta de savoir si Bella avait bien dormi. Elle poursuivit la conversation en annonçant que le marquis avait emmené ses hommes pour rétablir l'ordre dans la ville.

Cela expliqué, la jeune femme reprocha son peu d'appétit à son invitée.

— *Lord* William est-il parti avec le groupe ? s'enquit Bella.

— Billy ? Non. J'imagine qu'il est encore au lit. Il est d'ailleurs trop nonchalant. Il a besoin qu'on le pousse à travailler... Que pensez-vous de lui ? demanda-t-elle, comme Bella n'émettait aucune remarque.

— Eh bien, je ne... ! Il est charmant, balbutia Bella, un peu gênée.

— Il l'est. Et il est joli garçon, non ?

— En effet.

— Il ne vous intéresse pas beaucoup apparemment, fit la marquise en souriant. Il n'y a évidemment aucune raison pour que ce soit le contraire. Encore que, de sa part, j'ai l'impression qu'il en va différemment.

Ne sachant trop que répliquer, Bella se réfugia dans le silence, mais la marquise éclata de rire :

— Je l'ai vu vous contempler, et je suis persuadée qu'il ne s'est pas contenté de le faire sans souffler mot. Ce ne serait pas du tout son style.

— *Lord* William a été très bon avec moi, sans plus. Cette bonté m'a été particulièrement agréable étant donné les circonstances.

Elle fut cependant heureuse de voir surgir *lord* William. Il la salua joyeusement.

— Mademoiselle Harley et moi discutions de ton goût pour l'oisiveté et la paresse, Billy ; couché jusqu'à cette heure ! Tu n'as pas honte ?

Un coup de feu lointain coupa la parole à la jeune femme.

— Tiens, on dirait que Donald est en train de mater les paysans, observa William en rapportant son assiette à table.

— J'espère qu'il n'y aura pas de blessé, bien que ces gens aient une vilaine conduite.

Plusieurs coups de feu claquèrent précédant le fracas d'une fusillade nourrie. L'angoisse étreignit Bella. William reposa son couvert :

— N'est-ce pas un échange de coups de feu ? remarqua-t-il.

— Impossible, les paysans ne disposent pas d'armes.

— C'était le cas jusqu'à hier...

William quitta la table pour s'approcher de la fenêtre où la marquise et Bella le rejoignirent. Le claquement des coups de fusil provenait par intermittences du pied de la colline, mais on ne distinguait que le ciel gris pesant au-dessus des toits de la ville. S'il se passait quelque chose, on ne le voyait pas.

— A votre avis, qui a pu armer les paysans ? demanda la marquise, plus mal à l'aise que mécontente : les *fenians ?*

— C'est possible. Ce sont peut-être eux d'ailleurs qui ont tiré Johnny Dungillis des mains de la police.

— Voilà qui leur coûtera cher, car ils le paieront s'ils ont fait cela, ces idiots, déclara la marquise, grinçante.

D'un seul coup, la scène s'anima sous leurs yeux. Des silhouettes jaillirent de partout, courant dans les allées et gagnant les champs de l'autre côté. C'étaient les hommes portant l'uniforme du marquis qui battaient manifestement en retraite. Ils étaient suivis de deux personnages à cheval, sans doute le marquis et Purdy. A l'arrière-plan parut une foule de villageois dépenaillés dont les cris railleurs se propagèrent sur la colline. Ils emboîtèrent le pas aux fuyards un moment, puis ils s'arrêtèrent pour les regarder rentrer chez eux.

La marquise sortit pour aller à la rencontre de la petite troupe de son mari. William et Bella l'imitèrent mais restèrent hors de portée de voix.

— Que va-t-il se produire à présent ? demanda la jeune fille.

— Donald sera fou de rage, répondit-il, indifférent. Il y a plus important, Bella. Je n'ai pas été aussi inactif que le prétend Clara. On peut être deux à espionner, et tous ayant déserté le château ce matin...

— Vous avez perquisitionné dans leur chambre ! s'exclama-t-elle, horrifiée autant que surexcitée.

— Oui. J'étais sûr qu'il y avait quelque chose. Et j'ai trouvé.

— Quoi donc ?

La marquise s'était immobilisée au niveau du portail, et ils ne tarderaient pas à être à sa hauteur.

— Plus tard. Laissez-moi faire, Bella. Mais, je puis vous dire que j'ai de bonnes nouvelles pour vous !

La pluie se remit à tomber tandis que le marquis et ses hommes remontaient la colline. Le temps d'arriver au château, et ils étaient tous trempés, ce qui n'atténua pas la fureur du marquis. Il était livide de colère contre ses valets, contre Purdy, contre tous, excepté contre la marquise. Mais sa rage tournait surtout autour de ceux qui avaient armé les villageois.

Toujours silencieux, William parut fuir le regard de son frère. La marquise s'efforça d'avoir un comportement normal, mais la tablée se montra plutôt taciturne et contrainte.

Il pleuvait encore l'après-midi. L'eau ruisselait sur les carreaux de la fenêtre, dégoulinait en torrents depuis les gouttières du château. D'une gargouille située au-dessus du salon, jaillissait un flot ininterrompu. Bella et William restèrent assis à bavarder de tout et de rien, car la présence de la marquise leur interdit d'aborder des sujets d'importance.

Mais, renforcée dans sa résolution de gagner *Gillis House*, Bella calcula que les circonstances jouaient plutôt en sa faveur. Rien évidemment ne pouvait être entrepris tant que le temps ne se serait pas amélioré, mais, aussitôt après, elle partirait.

Le marquis les rejoignit pour le goûter, alors que la pluie continuait à s'abattre, monotone, d'un ciel que le crépuscule assombrissait encore. En sa présence, Bella devint nerveuse, mais il avait en partie récupéré ses esprits. Il avait envoyé un messager à Westport pour réclamer la présence d'un détachement militaire afin de mettre fin aux émeutes, et il escomptait que les soldats arriveraient dans deux jours au plus tard.

— Il y a autre chose à discuter, lança brusquement *lord* William.

— Quoi donc, Billy ? fit le marquis, assez aimablement.

— Cela concerne la situation de mademoiselle Harley dans cette famille, enchaîna le jeune homme.

— Quelle situation ? demanda le marquis sèchement. Crois-tu qu'il soit raisonnable d'aborder ce sujet ? Tu fais sans doute allusion au fait que son père était peut-être le fils illégitime de ton oncle ?

— Non, au fait qu'il était le marquis de Kheilleagh, de façon parfaitement légale. Ce qui fait que mademoiselle Harley est, de droit, la marquise de Kheilleagh.

— Devons-nous comprendre, Billy, que tu te fais le champion des revendications insensées du père de mademoiselle Harley ? persifla la marquise, prenant la parole à la place de son mari. A moins, évidemment, que tu n'aies retrouvé quelque chose qui pouvait valoir une fortune. Tu n'as cependant rien déniché, j'en suis persuadée ?

— Pas dans les documents, parce que tu y as mis ton nez la première et que tu as dérobé ce qui comptait.

— Dérobé quoi ? riposta la marquise, méprisante. Tu perds la tête, mon pauvre Billy !

— Tu l'as pris et tu l'as caché, mais assez adroitement. Encore que j'aie été obligé de forcer ta cassette à bijoux pour mettre la main dessus.

Le silence pesa pendant lequel on ne perçut que les respirations, les crépitements du bois dans la cheminée, le clapotis de la pluie. Le regard de la marquise était glacial. Tirant de sa poche un papier plié, William le brandit :

— Il l'a écrit le matin où il est parti à la chasse. On l'a probablement découvert après que l'on eut ramené son corps, car il n'avait pas eu le temps de le poster. Dois-je lire la première ligne ? *Mon épouse bien-aimée...* Je ne crois pas qu'il soit utile de continuer cette lecture.

— Donne-moi cette lettre ! hurla le marquis qui traversa la pièce vers son frère.

— Laisse, Donald, cette lettre n'a aucun intérêt ! assura la marquise avec autorité.

William fourra la lettre dans sa poche, mais le marquis, visage crispé, main tendue, marcha sur lui.

— Donne-la-moi, Billy !

— Ne t'approche pas, Donald, ordonna William en reculant d'un pas. Tu ne l'auras pas.

Il y avait de la peur plus que de la fureur dans la voix du jeune homme. L'air d'un fauve, le marquis continua d'avancer. Lorsqu'ils furent proches l'un de l'autre, William se pencha vers l'âtre et empoigna un tisonnier qu'il brandit, menaçant.

Avec un rugissement, le marquis bondit et lui arracha le tisonnier qu'à son tour il leva et abattit sur William.

## CHAPITRE XXI

Bella considérait la scène avec horreur. Le marquis suspendit son geste, cessa de frapper la tête de son frère et, sans lâcher le tisonnier maculé de sang, regarda le cadavre à ses pieds. Sa main était également tachée de sang, comme le bas de sa manche, et il y avait une traînée rouge sur sa figure, telle la marque de Caïn. L'homme haletait, le souffle rauque et irrégulier.

— Je vais chercher Purdy, déclara la marquise, rompant calmement le silence. Ne fais rien jusqu'à sa venue. Et, surtout, ne laisse entrer aucun domestique. S'il y en a un qui frappe à la porte, renvoie-le.

Elle quitta la pièce sans un regard pour Bella et referma soigneusement la porte derrière elle. Dans le silence, on ne perçut que le tic-tac de la pendule sur le manteau de la cheminée et le clapotis de la pluie, insistant, à l'extérieur. Doucement, la jeune fille gagna la porte et posa sa main sur la poignée. Elle ne quittait pas le marquis des yeux — mais il se contentait d'osciller sur lui-même. La porte grinça quand Bella l'ouvrit, lui faisant battre le cœur à un rythme accéléré. Une fois dehors, Bella referma le battant.

Elle courut jusqu'au pied de l'escalier avant de s'immobiliser pour regarder derrière elle la porte du salon. Aucune silhouette menaçante ne se manifesta. Soulagée de cette idée d'un danger immédiat, Bella prit davantage conscience d'un risque plus étendu. Tant qu'elle resterait dans le château, elle serait en péril.

En attendant, pour trouver de l'aide, il fallait fuir le château. Les plus proches voisins étaient les Dennison. Une fois au presbytère, Bella serait en sécurité.

Pendant qu'elle se demandait si elle parviendrait à se faufiler à l'étage pour récupérer un manteau et des bottines dans sa chambre, elle perçut le rire des femmes de chambre sur le palier et comprit qu'elle ne pouvait pas se hasarder là-haut.

Une porte débouchait sur l'extérieur et sur le sentier conduisant au *Rendez-vous du marquis*. D'un regard rapide, Bella s'assura qu'il n'y avait personne en vue. Rassemblant ses jupes, elle se rua sur la porte, tourna la poignée et poussa le battant. En vain. Après un coup d'épaule plus soutenu, de quoi se meurtrir les chairs, Bella constata avec désespoir que la porte n'avait pas bougé d'un centimètre.

Un dernier regard à la porte qui s'ouvrait sur la liberté, un regret — et ce fut alors que Bella aperçut le loquet qui, en haut, bloquait l'issue.

Maudissant sa stupidité, elle se haussa sur la pointe des pieds, tira avec violence et parvint enfin à libérer le verrou. La porte s'ouvrit et la jeune fille en franchit le seuil.

Refermant la porte derrière elle, elle rassembla ses jupes et partit en courant.

En deux minutes, elle fut trempée jusqu'à la moelle et alourdie par le poids des vêtements mouillés. Elle ralentit sa course et finit par se contenter de marcher.

Il devait encore y avoir quelque huit cents mètres jusqu'au pont, et quelques mètres de plus jusqu'au presbytère. Elle rêva d'un bain chaud devant le feu et dans l'âtre, du linge sec et propre pour remplacer celui, froid et mouillé, qu'elle avait sur elle. Elle claquait des dents, mais son esprit restait fixé sur son but. Là-bas, au bout de la fuite, la chaleur et la fin de la peur...

Elle s'immobilisa, incrédule. Le chemin embourbé sur lequel elle pataugeait s'interrompait dix mètres plus loin pour disparaître dans un lac formé par le débordement de la rivière. La pluie qui fouettait la surface du flot cingla le visage de la jeune fille. S'abritant les yeux d'une main, elle essaya d'évaluer la distance. Là où aurait dû se trouver le pont, seule une superstructure émergeait.

La rivière barrait le passage de Bella à droite.

Restait une unique solution : longer la rivière jusqu'à *Gillis House*. La distance était grande ; près de huit kilomètres, Bella était trempée, elle avait les pieds douloureux, mais tout valait mieux que de patienter sur place ou de retourner sur ses pas en direction du château. Ce ne serait pourtant pas facile de parvenir à destination avant que la nuit fût complètement tombée. Bella se tourna et repartit.

Ce fut encourageant de repasser devant la tonnelle. Une bourrasque plus violente que les autres la fit un instant hésiter à chercher un abri en cet endroit, mais elle s'obstina à avancer vers l'est. Elle avait les bras et les jambes brisés à force de maintenir ses jupes relevées.

Quel choc elle subit en constatant que l'eau était

à nouveau devant elle, que la rivière avait inondé ses berges ! Elle se rassura néanmoins en remarquant que l'inondation était limitée. L'eau s'étalait dans le champ à droite, mais, malgré la pénombre, on distinguait l'endroit où elle s'arrêtait, ce qui signifiait que l'on pourrait la contourner. Bella enjamba la bordure du chemin pour marcher dans l'herbe.

En son point le plus large, l'inondation formait une étendue d'eau de neuf mètres de large, soit trois fois plus que la largeur de la rivière dont elle reprenait ensuite sagement le cours. Il suffirait de quelques minutes pour contourner ce lac. Quelque chose frémit sous le pied de Bella qui pressentit qu'elle avait piétiné un endroit bien plus imbibé que l'herbe détrempée, mais elle préféra ne pas s'en assurer. Devant elle, tout était de même niveau, herbeux, et la jeune fille avançait à quelques centimètres seulement du bord de l'inondation. Mais, lorsque son pied droit s'enfonça plus profondément, elle se souvint que John avait mentionné devant elle l'existence d'un marécage de ce côté-ci de la rivière.

Elle voulut aussitôt faire demi-tour, dégagea son pied dans un bruit de succion et se dit que tout allait bien. Mais, quand elle chercha à reprendre l'équilibre, ce fut son pied gauche qui s'enfonça, d'une manière plus effrayante encore.

Alors, elle fut saisie par la panique, glissa, tomba, tenta de s'agripper au marais qui s'ouvrait sous son poids. L'étreinte froide et mouillée qui se resserra sur ses pieds, puis ses jambes — car maintenant son pied droit était également captif — semblait être celle de doigts vivants appartenant à quelque monstre amorphe qui l'engloutissait peu à peu. Elle se figura ces profondeurs de boue qui gisaient sous elle, où le « monstre » avait au cours des siècles happé des milliers de bêtes et de gens.

Elle eut également une autre pensée — quelque chose qu'on lui avait autrefois raconté au cours d'une joyeuse soirée à Oxford et qu'elle n'avait pas oublié. Que la pire des réactions quand on était prisonnier d'un marais était de se débattre parce que la lutte ne servait qu'à faciliter la dégringolade de la victime vers le fond.

Dans un effort suprême, elle se contraignit à se détendre, se coucha sur le dos malgré le froid qui la faisait trembler. Le « monstre » parut alors desserrer son étreinte. Bella avait toujours les jambes prises mais elle ne s'enfonçait plus. La substance sur laquelle elle était affalée n'était ni liquide ni solide, mais, en un sens, elle se sentait soutenue.

Son soulagement fut cependant de courte durée. Elle n'était pas près de se libérer, le ciel s'assombrissait et le jour cédait peu à peu la place à la nuit. Il n'y avait personne à portée de voix et le froid s'infiltrait au travers des vêtements pour atteindre Bella jusqu'aux os. Si Bella ne se dégageait pas elle-même, elle ne survivrait pas à la nuit.

Douloureusement, péniblement, elle s'efforça de reculer centimètre par centimètre. L'espace d'un moment, elle s'imagina qu'elle y parvenait. Elle avait l'impression de mouvoir plus aisément son pied droit. Mais, peu après, le marais parut se soulever sous son corps et l'étreindre plus fermement. Des larmes de frustration, d'horreur, de désespoir, ruisselèrent sur ses joues.

Quelques minutes encore, et elle aperçut des lumières qui surgissaient, puis s'éteignaient, à distance. Elle appela, d'une voix faible. Et les lumières n'étaient vraisemblablement qu'une illusion née du marais.

Elles persistèrent pourtant, se rapprochant, précédant des murmures. Oui, c'étaient des lanternes — et elles venaient non de l'est mais de l'ouest. Elles ne pouvaient venir que du château dans ce cas. Bella était d'ailleurs trop affaiblie et éreintée pour s'en tracasser. Elle cria de toutes ses forces ; cette fois, on lui répondit.

Les lanternes surgirent près d'elle. Des bras musclés lui entourèrent les épaules et la soulevèrent pour l'arracher à l'étreinte glacée du marais. A la lueur d'une lampe proche, elle distingua le masque qui servait de visage à Purdy.

# CHAPITRE XXII

Il faisait jour dans la chambre quand elle s'éveilla, mais quelque chose dans son environnement lui parut étrange. Luttant pour récupérer sa lucidité, elle s'étonna de constater que ses fenêtres étaient plus hautes et plus étroites. Et elles n'étaient plus face au lit, mais autour — si l'on pouvait les appeler fenêtres.

Une fois assise, elle se rendit compte qu'elle n'était pas dans sa chambre. Cette pièce était carrée et nue, avec des murs faits de pierre et de mortier simplement, non pas tapissée de papier mural ni égayée de tableaux comme elle se le rappelait. Elle était couchée dans un lit d'une personne, à colonnes, orné de tentures en lambeaux.

Chaque pan de mur avait une embrasure terminée par une fente de soixante centimètres de long située à un mètre et demi de hauteur. Au-dessus des embrasures, on avait fixé des cadres de bois rustiques soutenant des panneaux encore plus rudimentaires qui, bien qu'ils fussent à présent ouverts, pouvaient se refermer sur le monde extérieur. En attendant, un rayon de soleil filtrait par la fente la plus proche jusqu'au pied du lit. En le fixant, Bella comprit — elle était bien dans le château, mais enfermée dans le donjon, dans la chambre où, selon Mme Dennison, on avait autrefois enfermé la marquise devenue folle.

Le temps s'étirant en longueur, elle alla observer la situation vue des quatre ouvertures. De la première qui donnait sur les toits intérieurs du château, elle put apercevoir une partie de la cour, avec la statue de l'ours. Dans la cour, on déployait beaucoup d'activité ; des hommes en uniforme allaient et venaient, à croire que le marquis envisageait une nouvelle expédition.

Elle gagna l'ouverture découpant le mur nord. De là, la vue était limitée. Bella constata que la tour jumelle abandonnée ne se dressait qu'à quelques mètres. Par son sommet brisé et déchiqueté, on distinguait l'intérieur sinistre.

Bella retourna à la fenêtre d'où elle entrevoyait la ville. Quelque chose avait changé. La cité restait imperturbable sous le soleil, mais des silhouettes progressaient sur la colline. Une centaine d'hommes peut-être, et les rayons du soleil faisaient luire des lames d'instruments divers ainsi que des canons de fusil. On percevait des cris à distance, et les hommes s'avançaient avec résolution. Bella vit qu'elle avait mal interprété l'activité que l'on déployait dans la cour. Ce n'était pas une expédition que préparaient les hommes du marquis, ils s'apprêtaient en réalité à se défendre contre un assaut donné par les villageois de Kheilleagh.

Mais il ne devait pas y avoir de bataille. Un cliquetis de métal se produisit en dessous, et, en se penchant autant qu'il lui était possible, Bella s'aperçut que l'on venait de boucler la grande porte, laquelle fut consolidée à l'aide de barres métalliques. Le marquis avait choisi de soutenir le siège plutôt que de combattre.

C'était la solution raisonnable pour lui. Il avait réclamé des renforts à Westport et il les attendait d'ici à un jour ou deux. Même s'il avait été enclin à la violence, la marquise et Purdy l'auraient exhorté à éviter un affrontement à découvert. Le château était une place forte qui avait autrefois résisté contre des armées entières. Pour l'heure, le marquis n'avait qu'à patienter jusqu'à l'arrivée des troupes qui disperseraient la foule.

Les fourmis se rapprochèrent du sommet, donc du château, et devinrent des hommes.

Et Bella, étonnée et ravie, reconnut parmi les meneurs quelqu'un d'autre. On ne pouvait pas se tromper sur cette toison rousse, ces favoris encadrant un menton volontaire. Se penchant dangereusement, Bella appela :

— John !

Dans la clameur qui le cernait, il ne l'entendit pas. Arrachant le ruban rouge de sa coiffure, elle l'agita au travers de l'ouverture jusqu'au moment où un homme l'aperçut et le signala à son voisin. D'autres en firent autant, et John vit enfin le ruban. D'abord frappé de stupeur, il se ressaisit, se rua au pied de la colline, juste au-dessous de la tour, leva la tête :

— Bella, êtes-vous saine et sauve ?

— Oui, cria-t-elle. Mais, ils m'ont enfermée ici.

— On va vous tirer de là, je vous le promets...

Un coup de feu l'interrompit, suivi par d'autres. Le voyant rentrer la tête dans les épaules, Bella comprit que c'était de la tour, en dessous d'elle, que l'on tirait.

— Eloignez-vous, John, ne restez pas ici, ou ils vous tueront !

Une autre fusillade éclata, mais John demeura debout, apparemment intact. Lorsque, finalement, il se décida à se retirer, il hurla :

— Je reviendrai, ne vous inquiétez pas, Bella, nous vous libérerons !

— Ils ont réclamé des renforts à Westport ! cria-t-elle.

Mais, elle ne sut pas s'il l'avait entendue ; il courait pour s'écarter du château d'où partait une fusillade nourrie. Elle le vit cependant rejoindre les siens, sain et sauf.

Bella se dit qu'elle n'avait pas de raison d'être réellement optimiste. Par ses dernières phrases, John avait surtout voulu la réconforter, parce qu'il ne pouvait rien de plus pour elle dont la situation restait inchangée. Bella était impuissante aux mains du marquis qui la tenait solidement.

Mais elle se sentait mieux après avoir vu John.

Comme rien ne se produisit après, l'ennui succéda à l'excitation de ces quelques minutes. Les villageois campèrent sur la colline, se rapprochant de temps à autre pour hurler des insultes ou tirer un coup de feu qui n'atteignait pas son but. Et, dès que la riposte partait du château, ils regagnaient leurs rangs. Le soleil grimpant dans le ciel, ils se débarrassèrent de leurs vestes pour paraître en manches de chemise. Bella essayait de repérer John quand elle entendit glisser le verrou de sa porte. Elle se détourna de l'embrasure, croyant voir surgir les domestiques avec son plateau. Mais ce fut Purdy qui entra, précédant la marquise.

— Vous paraissez en forme, mademoiselle Harley, persifla la femme. Je suis contente de constater que vous ne supportez pas trop mal l'épreuve.

La voix était agréable, la bouche en bouton de rose souriait, ainsi que les prunelles bleues.

— Je me sens physiquement bien, madame, mais je serais moralement mieux si j'étais installée ailleurs.

— Ah ! pour cela, il y a quelques difficultés ! rétorqua la marquise avec un geste élégant de la main. Avec les domestiques, cela s'arrangerait aisément, mais rien ne prouve que vous ne serez pas victime d'une nouvelle crise qui vous pousserait à vous enfuir comme vous l'avez fait hier.

— Qu'avez-vous fait du corps du malheureux Billy ? L'avez-vous enterré quelque part ?

Purdy battit des paupières mais ne fit pas un geste. Le sourire de la marquise se glaça :

— Vous voyez ? On ne peut jamais prévoir les folies que vous allez proférer.

— Croyez-vous pouvoir cacher ou taire une chose pareille ? Cela se saura forcément, voyons.

— Mais, quand de tels événements se produisent autour de nous, qui peut prévoir ce qui arrivera ? fit la marquise, suave.

C'était facile à comprendre, la mort de Billy serait attribuée aux émeutiers qui porteraient la responsabilité de ce meurtre. En Angleterre, ce ne serait pas possible, mais on était en Irlande, à Kheilleagh en particulier, une contrée sous l'emprise des Malindine dont on ne discutait pas les affirmations.

— Enfin, c'est notre problème et pas le vôtre, enchaîna la marquise. En ce qui vous concerne, d'autres sujets nous intéressent, mademoiselle. A moins que vous ne préfériez vous attribuer le titre de marquise de Kheilleagh comme ce pauvre Billy avait jugé bon de le faire ?

— Je ne me gratifie d'aucun titre.

— Comme c'est sage de votre part ! Billy était convaincu qu'il allait décrocher une héritière. C'est grotesque, mais il n'a jamais été très équilibré.

Elle parlait du mort avec un mépris empreint d'une méchanceté qui, à sa manière rejoignait celle dont le marquis avait fait preuve en agressant son frère. Ecœurée et furieuse, Bella objecta :

— Personnellement, je l'ai toujours jugé équilibré. Et astucieux. Après tout, il a mis la main sur la lettre. Celle qui était cachée dans votre coffret à bijoux.

— Tiens ! fit la marquise, haussant un sourcil, je ne me souviens pas qu'une telle lettre ait existé !

Cependant, d'après le regard que Clara échangea avec Purdy, ils n'avaient pas renoncé à leur enquête. Ils étaient persuadés qu'elle savait ou possédait quelque chose de capital, quelque chose qui avait peut-être été confié à O'Flinn. Et ils avaient la ferme intention de découvrir de quoi il s'agissait.

— Vous avez intérêt à tout nous dire, intervint pour la première fois Purdy.

— Hé oui ! vous devriez suivre le conseil de Purdy, ma chère petite ! renchérit la jeune femme. Nous vous accordons le temps de réfléchir, mais rappelez-vous que vous êtes entre nos mains. Entre celles de Purdy précisément...

Purdy ouvrit la porte, et, au moment de la franchir, la marquise se retourna vers la prisonnière :

— J'ai l'habitude d'arriver à mes fins, ne l'oubliez pas.

La clef cliqueta dans la serrure et la voix de la marquise, joyeuse pour s'adresser à Purdy, s'étouffa à mesure que les deux personnages s'éloignaient dans le couloir.

## CHAPITRE XXIII

Peu après, les domestiques apportèrent un repas — un ragoût de viande avec des choux et des pommes de terre, ainsi qu'un morceau de pain grossier. Bella y toucha à peine, et, comme les domestiques ne revinrent pas chercher le plateau, la nourriture finit par se figer de façon fort peu appétissante.

L'après-midi interminable s'étira en s'assombrissant, et le désespoir grandit en Bella. Elle comprit quelle espérance déraisonnable elle avait placée en John lorsqu'elle l'avait vu au pied de la tour et quand il lui avait promis de la libérer. Elle aurait dû deviner que c'était folie que de compter sur cette entreprise. Elle était enfermée dans le donjon d'une tour faisant partie d'un château conçu pour résister à l'assaut des armées. Quelle espérance attendre d'une populace irlandaise s'attaquant à des défenseurs solidement armés ? Seul un idéaliste rêveur tel que John avait pu y croire et faire cette promesse téméraire.

On lui apporta un dîner composé de pain et de fromage, avec une tasse de chocolat, et, malgré sa terreur, elle trouva assez d'appétit pour se nourrir.

Au-dehors, l'obscurité s'installait. Il commençait à fraîchir, et Bella aurait été contente de disposer d'un manteau. Après avoir envisagé de se coucher, elle se dit que les autres pouvaient à tout instant réapparaître et que, couchée, elle se sentirait sans défense. Elle finit par s'enrouler dans une couverture pour se carrer dans un fauteuil. Elle n'avait pour se distraire que ses pensées, et cela n'avait rien de plaisant.

De longues minutes s'écoulèrent. Bella s'assoupissait quand un bruit la fit tressaillir, lui restituant, en même temps que la lucidité, une certaine terreur. Des pas claquaient sur les marches de pierre à l'extérieur, la clef tourna dans la serrure et la porte s'ouvrit. C'était la marquise, avec Purdy tenant une lampe derrière elle.

Quand ils eurent pénétré dans la pièce, Purdy posa la lanterne sur la table de toilette. Il n'avait sans doute fait cela que pour avoir les mains libres, pour le cas où Bella tenterait de s'échapper, mais la jeune fille sentit son angoisse s'accroître. La lueur projetait des ombres gigantesques et tortueuses sur les murs et jusqu'au plafond. Purdy porta la main à sa taille là où il avait fourré un pistolet dans sa ceinture. La jeune fille fit un pas en arrière croyant qu'il allait l'abattre sur-le-champ, mais il se contenta de glisser le pouce dans sa ceinture et de dévisager la prisonnière.

La marquise, qui avait vu ciller Bella, ébaucha un sourire :

— Vous avez eu suffisamment le temps de réfléchir, je suppose, mademoiselle Harley.

Sans répondre, Bella s'efforça de dissimuler sa peur, mais, au fond, qu'est-ce que cela aurait changé ?

— J'espère que vous n'allez pas vous obstiner dans votre stupidité ?

Le ton était calme ; c'était celui d'une patronne

s'adressant à une servante qui venait de faire une bêtise.

— Vous ne gagneriez rien à être entêtée, je vous le garantis, poursuivit la marquise.

Bella hocha la tête sans répliquer. Elle avait les lèvres si sèches qu'elle n'était pas sûre de pouvoir articuler un seul mot.

— Levez-vous et placez-vous près du lit, ordonna-t-elle.

Bella s'exécuta d'autant plus volontiers qu'elle se sentait plus à l'aise debout. Elle se recommanda intérieurement de jouer le jeu le plus longtemps possible sans les provoquer. La marquise la dévisagea en la jaugeant.

— Vous êtes décidément une ravissante créature. Rien d'étonnant à ce que Billy se soit entiché de vous. N'importe quel homme en aurait fait autant.

Sur ses lèvres se dessina un étrange sourire, sans que la femme cessât d'observer Bella.

— Hé oui ! fit-elle finalement, c'est pratiquement certain. Qu'en pensez-vous, Purdy ?

Il ne répondit pas, ce qui était inquiétant en soi. Il considérait Bella de la même manière que le faisait la marquise, de façon plus effrayante pourtant. En l'étudiant, la marquise sourit, puis se tourna vers Bella :

— Il faut que vous me révéliez ce que vous savez de vos relations avec cette famille. C'est votre dernière chance de le faire en toute liberté.

— Mais, je n'ai... je n'ai rien à vous... dire, madame, balbutia la jeune fille, la gorge serrée. Je vous prie de...

Bella s'interrompit. Quelque part dans la profondeur des murs, le léger grattement d'un rat exaspérait ses nerfs. Après l'avoir longuement scrutée, la marquise fit avec douceur :

— Essayez de la convaincre, Purdy.

Il s'approcha vivement de Bella — violemment aussi. La jeune fille porta ses mains à son cou, mais il les en détacha sans peine tout en lui arrachant le corsage de sa robe. Elle tenta de lui résister, de le repousser, mais elle n'était pas de taille à lutter contre lui.

— Je vous en supplie, mon Dieu !... gémit-elle.

— Reculez, Purdy.

Il obéit.

— Je n'ai rien, absolument rien à révéler. Je vous prie de me croire, madame, et de me protéger, dit Bella.

Il était impossible qu'une femme pût assister en souriant à l'agression dont une autre femme était victime.

— Tiens ! quel est ce joli médaillon que je vois à son cou ? remarqua la marquise. Remettez-le-moi, Purdy.

L'homme agrippa le médaillon et tira avec force sur la chaîne qui s'enfonça douloureusement dans la chair du cou de la jeune fille avant de céder.

— Une jeune paysanne, déclara la marquise après avoir ouvert le bijou. La ressemblance est incontestable. Et la petite fille d'une paysanne corrompue s'imagine être la maîtresse de Malindine ?

— Je ne me suis jamais rien imaginé de tel ; je n'y ai jamais pensé. Je...

— Ne me mentez pas. Au reste, peu importe ce que vous vous imaginiez. Une seule chose m'intéresse, mademoiselle, et vos faux-fuyants m'impatientent. Qu'est-ce qui vous a amenés ici, votre père et vous ?

— Absolument rien.

— Parfait ! Purdy, faites ce que vous voudrez.

Bella ne parvint pas à y croire. Elle hurla en cherchant à se dégager.

Elle réussit à s'écarter un peu et à bourrer Purdy de coups de poing. Pas longtemps, car il la poussa et elle tomba à terre.

Devant elle, il y avait deux visages : l'un proche, rouge de fureur ; l'autre assez lointain, frais, beau, incroyablement souriant. Bella lâcha encore un cri. La marquise fit remarquer que, s'ils l'entendaient, les domestiques mettraient cette réaction sur le compte de la folie.

Des pas claquèrent au-dehors ; une silhouette fit irruption dans la pièce. Purdy desserra sa poigne, et Bella se dégagea vivement.

Le regard du marquis se porta d'elle à Purdy, mais la marquise retint son mari d'un geste.

— Il donnait une leçon à cette petite, rien de plus.

— Tu as posé tes sales pattes sur elle, gronda le marquis, ignorant sa femme.

— C'est parce qu'elle est entêtée, intervint la marquise. Elle sait quelque chose et ne veut pas l'avouer... Voyons, tu sais le danger qu'elle constitue pour toi, ajouta-t-elle plus sèchement. Et tu sais aussi combien Purdy t'est dévoué et utile, tout ce qu'il a fait pour toi.

La violence qui crispait les traits du marquis était toute différente de celle que Bella avait notée chez Purdy : c'était celle d'un orgueil blessé. Bien que plus massif, face à son maître en colère, Purdy parut se rapetisser.

— Tu as mis la main sur une femme du sang des Malindine ! Tu as osé la toucher !

Il se jeta sur son régisseur. Tandis que les deux

hommes se battaient, Bella s'efforça de se retirer dans un angle. La marquise glapit :

— Assez, Donald, laisse-le tranquille ! Il a fait ça pour toi ! La fille pourrait te dépouiller de tout, de la vie même !

Elle ne tenta pas cependant de s'interposer entre les deux hommes, d'autant que c'eût été inutile. Le marquis était littéralement hors de lui, comme il l'avait été lorsqu'il avait frappé son frère avec le tisonnier. Il porta à Purdy un coup du tranchant de la main dans le cou qui aurait pu le tuer, mais Purdy eut le temps de se rétracter. Il fut rejeté en arrière, manqua de tomber et se heurta à la porte. Il reprit aussitôt ses esprits, ouvrit le battant et dévala les marches à la course, pourchassé par le marquis.

Après une hésitation, la marquise empoigna la lanterne et leur emboîta le pas. Mais, du seuil, elle avertit Bella :

— Nous reviendrons, n'en doutez pas.

Elle avait apparemment conservé son flegme. Bella entendit cliqueter la clef dans la serrure de l'autre côté de la porte. Si seulement elle avait eu personnellement autant de sang-froid, se dit Bella avec un sentiment d'échec, n'ayant plus que la marquise pour s'opposer à elle, elle avait largement l'occasion pour une fois d'échapper à sa cellule. Mais, cela aussi, elle l'avait raté, et elle ne pouvait plus y remédier.

D'ailleurs, elle avait pratiquement les mains liées sur tous les plans. Ils reviendraient avait affirmé la marquise. Quand ? cette nuit ? demain matin ? Bella songea que la femme devait d'abord calmer son mari et le réconcilier avec Purdy. Oh ! elle y réussirait certainement, mais il lui faudrait un moment pour cela !

D'ici là, Bella serait seule, dans une obscurité que seule tranchait la lueur du clair de lune. Elle avait les nerfs ébranlés par l'affrontement avec Purdy. Si les autres revenaient... L'air lui parut glacé. Découvrant une épingle de sûreté dans la poche de sa robe, elle rapprocha tant bien que mal les bords déchirés de son vêtement — la protection était faible contre la température, mais c'était mieux que rien.

Jugeant insupportable l'idée de se mettre au lit, elle reprit la couverture et se blottit dans le fauteuil. Les rats couraient sur le plancher et grattaient çà et là. Ecœurée, Bella replia ses jambes sous elle.

Les heures s'écoulèrent lentement pendant qu'elle contemplait le clair de lune. A la fin, douloureuse, en proie à des crampes mais épuisée, elle s'endormit tout de même.

Quand elle s'éveilla, elle était comme rongée de crampes et de fourmillements. La couverture ayant glissé, elle frissonna du froid du petit matin. Car c'était l'aube, encore pâle, parce que le soleil n'était pas levé.

L'esprit embrumé, Bella se dit qu'elle devait rêver en ayant l'impression qu'une voix l'appelait par son prénom quelque part à l'extérieur de la tour. Elle prêta l'oreille et perçut à nouveau :

— Bella...

La voix chuchotait, mais elle était distincte. C'était absurde, mais... Toute raidie, Bella se leva et alla se pencher à l'ouverture nord d'où semblait provenir la voix.

D'abord, elle ne discerna que l'ombre hideuse de l'autre tour qui se découpait en lignes âpres sur fond de ciel violet. Au-dessus, un corbeau tournoyait, poussant des cris rauques et inarticulés. Mais, la voix héla une fois de plus :

— Bella !

En se penchant, elle le vit enfin, au-dessous d'elle, accroupi contre le parapet opposé.

## CHAPITRE XXIV

Elle chuchota :

— John !

Un doigt sur les lèvres il lui imposa silence et murmura :

— Vous allez bien ? Avez-vous le moyen de fixer une corde ?

— Oui...

Il lui jeta l'extrémité d'un rouleau de corde qui échappa à la jeune fille. Patiemment il s'y reprit à plusieurs fois. Finalement, elle réussit à saisir la corde qu'elle noua solidement à la lourde poignée de fer de la porte. Bella avait les doigts gourds sous l'effet du froid, et sa tâche ne fut pas facile. Mais, quand elle l'eut achevée, elle se précipita à l'ouverture :

— C'est terminé, la corde est fixée.

Il acquiesça d'un signe et disparut, probablement pour attacher la corde de son côté. Lorsqu'il réapparut, il sauta après la corde en s'y cramponnant à la fois des pieds et des mains et progressa ainsi. Bella retint son souffle, craignant de le voir lâcher prise, ou encore que la corde ne cédât, à moins que ce ne fût l'un des nœuds, moyennant quoi John se serait écrasé sur la base de la tour.

Mais sa crainte était superflue. John avança avec adresse et aisance et, bientôt, d'un coup de reins, balança ses jambes à l'intérieur de la cellule de Bella.

Debout près de la jeune fille, il la dévisagea. Se rappelant la déchirure qu'elle avait tant bien que mal camouflée sur son vêtement, Bella porta la main à sa poitrine — mais ce que dit le jeune homme ne l'embarrassa pas :

— Votre robe est déchirée. Comment est-ce arrivé ? Vous ont-ils maltraitée ?

— Purdy, oui.

— Purdy ? Voulez-vous dire... ?

— Non, tout va bien, John, fit-elle, apaisante. C'est le marquis qui m'a sauvée. Il aurait abattu Purdy si celui-ci n'était parvenu à lui échapper. Tout comme il a tué Billy.

— Quoi ! Billy est mort ?... Asseyez-vous et racontez-moi tout.

Il lui prêta une oreille attentive, et son visage s'assombrit quand elle lui fit le récit de la visite que la marquise et Purdy lui avaient rendue la veille et de ce qui s'était produit.

— Vous êtes sûre de ne pas être blessée ? demanda-t-il.

— J'ai les bras un peu meurtris, rien de plus. Mais, sans l'intervention du marquis... Oh ! comment a-t-elle pu avoir une attitude pareille ? rester là pour observer la scène ? gémit Bella.

— Clara ? Je ne sais pas, avoua John en lui posant sa main sur le bras. Quant à Donald, cela plaide en sa faveur, évidemment, mais ça ne suffira pas à lui épargner la potence. Pauvre Billy !

— Oui, pauvre Billy !

Mais, si la scène horrible lui revint en mémoire, elle lui parut plus supportable à présent que John était à ses côtés. Le visage fracassé, ensanglanté, lui sembla lointain. Ce qui importait, c'était celui, bien vivant, de John, les yeux fixés sur elle, et aussi la légère pression de ses doigts sur la manche de sa robe.

Quand il voulut l'aider à se soulever, elle ne résista pas, et il se pencha sur elle. Pendant le temps où ils s'embrassèrent, elle fut en proie à une joie si intense que, à cause de la lassitude qu'elle éprouvait, elle craignit de défaillir. Tant pis si elle s'évanouissait, John était là avec sa force et sa tendresse pour la soutenir ! Il libéra ses lèvres tout en la gardant dans ses bras, et elle en fut ravie.

— Moi qui étais jaloux de ce malheureux Billy...

— Vous n'avez jamais eu de raison de l'être... John, qu'allons-nous faire maintenant ? Voulez-vous donc que je grimpe le long de cette corde avec vous ? Je crois que j'en serai incapable.

— Nous trouverons une méthode plus facile pour vous sortir d'ici, riposta-t-il en riant. En fait, je ne suis pas ici seulement pour vous, encore que ce soit le motif majeur de ma présence. Mais, il y a aussi le problème que pose l'infiltration des rebelles à l'intérieur du château.

— Les renforts militaires ne vont plus tarder.

— Oui, j'ai entendu votre avertissement à ce propos — nous avions d'ailleurs prévu la chose. Les rebelles n'ont pas depuis longtemps fait preuve d'autant de bravoure, mais ils ne tiendront pas contre l'armée. Quand les troupes seront ici, nos hommes s'éparpilleront. Et la misère qui suivra, ainsi que les représailles nous feront regretter les jours et les années que nous avons vécus. Donald sévira comme un fou.

— Je m'en doute, frémit Bella.

Il se tapota le côté, et, pour la première fois, elle remarqua la crosse d'un pistolet qui dépassait de sa ceinture.

— Vous pensez pouvoir mettre seul la main sur le château ? s'enquit-elle.

— Ah ! non, pas seul ! s'exclama-t-il avec un éclat de rire tant elle semblait persuadée qu'il était capable de tout.

— Ou alors vous lâchez la corde pour que les hommes en bas puissent se hisser ? Seulement, elle est encore reliée à l'autre tour.

— Et ils les repéreraient pour les pincer aussi facilement qu'un malheureux hérisson sur la route. Même si certains des hommes réussissaient à s'introduire dans la place, il suffirait à l'ennemi de bloquer la tour pour compliquer la tâche. Non, il y a un moyen plus facile. Simplement, il faut que j'aie la maîtrise de la grille principale. Si je parviens à l'ouvrir pour nos gars, le reste ne sera pas difficile. Je me demande s'ils sont déjà en train de se mettre en mouvement.

Ils se penchèrent ensemble à l'une des ouvertures.

Les lèvres contre la joue de la jeune fille, il tendit le bras, désignant un point. Elle vit des silhouettes menues — à cause de la distance — émerger des routes venant de la ville.

— L'effusion de sang sera terrible si vous réussissez à faire pénétrer les rebelles dans le château, non ?

En secouant la tête, il lui caressa la figure de sa barbe que Bella jugea soyeuse.

— Probablement pas, fit-il. Les hommes de Donald déguerpiront comme des lapins, ainsi qu'ils l'ont fait la dernière fois, quand ils ne seront plus protégés par les murs du château.

— Et vos partisans ne les massacreront pas ?

— Non, parce que je crois être en mesure de les commander.

Il s'exprimait simplement et il en était d'autant plus persuasif. Plus pour le plaisir de lui parler que par curiosité, elle demanda :

— Que se passera-t-il alors ? La révolution ? Le reste de l'Irlande se soulèvera-t-il, en même temps que Kheilleagh, pour balayer les seigneurs ?

— Etant moi-même un seigneur, j'espère bien que ce ne sera pas le cas ! rétorqua-t-il en riant. Je ne suis pas un *fenian*. La police a découvert une lettre qui m'était adressée et qui prétendait le contraire, mais ce n'est pas un de mes amis qui l'a écrite. En revanche, je devine qui en est l'auteur ?

— Purdy ?

— Sans doute, sur l'ordre de Clara, j'en suis convaincu. Sachant que je soutenais les locataires, ils avaient ainsi des raisons d'être crus à mon sujet — et naturellement à votre sujet, plus tard.

Il s'écoula trois heures au cours desquelles il y eut des échanges d'insultes et de coups de feu entre les défenseurs du château et les villageois de Kheilleagh disposés à l'extérieur. Il y eut d'autres distractions, plus agréables. En s'arrachant à l'étreinte de John — émue et essoufflée, Bella vit luire quelque chose sous la table de toilette qu'éclairait un rayon de soleil venu de l'est. En se baissant, elle ramassa le médaillon. Elle montra alors à John le portrait de sa grand-mère.

— Elle était sûrement adorable, affirma-t-il. Suffisamment en tout cas pour tourner la tête d'un homme. De même que sa descendante, souffla-t-il en embrassant Bella. Et ses traits expriment une personnalité à laquelle l'on ne pouvait manquer de rester fidèle. Si j'avais vu ce portrait le premier jour, j'aurais certainement fait confiance à la parole de votre père, car vous lui ressemblez énormément.

— Oh ! je ne crois pas être à sa hauteur, mais je suis contente de votre opinion ! Oh !...

— Quoi donc ?

— Le bijou ne ferme plus. Clara l'a jeté contre le mur, et il a dû souffrir du choc qui a cassé le ressort.

John lui prit le médaillon des mains et tenta de rabattre les deux faces ; en vain. La tête inclinée, le soleil teintant de roux sa chevelure éclatante, Bella eut envie de tendre la main vers lui. Elle retint son geste quand elle entendit des pas dans l'escalier ; à voir le mouvement vif du jeune homme, lui aussi avait compris.

Il mit un doigt sur ses lèvres pour lui recommander le silence, mais c'était inutile, car ils avaient répété la scène. Bella alla rapidement se coucher dans son lit, visage détourné de la porte. Son cœur battit la chamade quand les pas se rapprochèrent. Des voix échangèrent un murmure, et la clef tourna dans la serrure.

— Voici votre petit déjeuner.

Bella reconnut la voix de la servante qui lui avait déjà apporté ses repas, mais elle ne fit pas un mouvement ni n'émit aucune réponse.

— Que se passe-t-il ? fit la femme en s'approchant et en lui effleurant la joue.

Bella demeura immobile.

— Viens lui jeter un coup d'œil, Mick.

Lorsqu'ils furent tous deux près d'elle, Bella s'assit dans le lit.

— Elle joue la comédie, rien de plus, déclara l'homme. Rien d'étonnant avec une cinglée. N'y fais pas attention.

Il allait s'éloigner quand John surgit de derrière la porte, pistolet en main.

— Sainte Mère, c'est *sir* John en personne ! souffla l'homme, médusé.

La femme eut un petit cri mais John intervint :

— Si vous ne perdez pas la tête, il ne vous arrivera aucun mal. Placez-vous contre le mur du fond, et écoutez-moi. Je vais vous enfermer ici, et nous allons filer. Vous pouvez crier si cela vous plaît, mais comme personne ne vous entendra, autant ménager votre souffle. Et mes hommes ont ordre de vous tirer dessus si vous avez l'idée de passer la tête à l'extérieur. Est-ce bien clair ?

L'homme acquiesça d'un signe de tête, et la femme produisit un gémissement qui devait être une affirmation. John poussa Bella vers l'escalier, la suivit, claqua la porte derrière eux et la verrouilla. Ensuite, il précéda la jeune fille dans l'escalier qui descendait en colimaçon dans la paroi sud de la tour. A l'étage en dessous, une porte signalait une chambre égale à celle qui avait servi de cellule à Bella et qui contenait un tas de bois et de poutres dans un angle.

L'escalier était sombre, seulement éclairé par des fentes étroites découpant des parcelles de ciel. Les deux jeunes gens descendirent longtemps avant qu'une clarté plus vive ne leur indiquât qu'ils atteignaient le couloir reliant la tour du corps principal du château. Sur la droite, John poussa légèrement une porte. Il ne vit dans la pièce que des meubles et des caisses empilées.

— Apparemment, personne ne vient jamais ici, remarqua-t-il. Restez-y tranquillement et, si tout se déroule bien, je ne tarderai pas à revenir vous chercher. D'ici à une heure de toute manière.

— Et dans le cas contraire ?

— Cela n'arrivera pas, mais, à tout hasard... Dès que la nuit sera tombée, essayez de vous faufiler à l'extérieur. Ils auront aujourd'hui trop à faire pour entreprendre des recherches sérieuses. Si vous réussissez à gagner Kheilleagh, demandez Michael Tracy, qui vous conduire à *Gillis House.*

— Je préfère vous accompagner, protesta Bella.

— Il n'en est pas question, c'est une besogne d'homme.

— A cette porte, il y a une serrure et pas de clef, observa-t-elle. Et le verrou est à l'intérieur. Vous pouvez me faire entrer, mais certainement pas m'empêcher de sortir et de vous suivre.

— Je vous en prie, Bella. Vous êtes absolument impossible... D'accord, mais promettez-moi de rester à l'écart s'il y a la moindre difficulté.

— Entendu.

— Et vous m'obéirez sans discuter quels que soient mes ordres ?

— C'est juré, John, fit-elle avec gravité.

Il avait une meilleure connaissance des lieux qu'elle, mais cela représentait pourtant pour lui un dédale de couloirs sombres, dont certains étaient éclairés par des lampes à huile qui brûlaient sans doute à longueur de journée. Les deux jeunes gens durent progresser avec précaution, de crainte de tomber sur un indiscret. En un quart d'heure, ils atteignirent la porte qui débouchait sur la cour centrale, à une vingtaine de mètres de la voûte du couloir amenant à la grille principale.

John entrouvrit la porte et jeta un coup d'œil. Quand il la referma, son visage était sévère.

— Qu'y a-t-il ? demanda Bella.

— Une demi-douzaine de types gardent l'entrée, et nous n'avons aucune possibilité de nous mettre à couvert. Ils me repéreraient et m'abattraient avant que j'aie pu approcher.

— Qu'allez-vous faire ?

— De toute façon, me traiter d'idiot et de fou ! J'aurais bien dû songer que la porte serait surveillée. Je me disais qu'il me suffirait de pénétrer dans le château, crétin que je suis !

Dans sa colère contre lui-même, il avait l'air d'un gosse déçu par son manque d'adresse ou de force.

— Vous trouverez un moyen, assura-t-elle. Nous allons nous cacher jusqu'à la nuit, ce sera alors plus facile.

— Mais, les troupes seront depuis longtemps intervenues, et tout sera réglé. Les soldats étaient à Millicktown hier soir, soit à quatre heures de marche environ. Ils arriveront vraisemblablement vers midi.

Dans le silence qui s'ensuivit, une horloge fit entendre son tic-tac quelque part, un son étouffé. John effleura le bras de sa compagne.

— Nous pouvons cependant nous dissimuler, et la confusion suffira peut-être à nous permettre de fuir quand tout sera terminé.

— Et les hommes qui patientent dehors ?

— Ils seront éparpillés. Cela s'est déjà souvent produit auparavant en Irlande. C'est même assez habituel.

L'amertume se mêlait à la colère dans son ton.

— Vous avez de la chance de m'avoir auprès de vous, remarqua Bella.

— C'est certain, fit-il avec un sourire un peu contraint, mais je préférerais vous savoir à des kilomètres d'ici.

— La marquise et Purdy m'ont fait passer pour une folle, comme mon père était fou, selon eux. C'est pour cela qu'ils m'avaient enfermée après que l'on m'eut rattrapée fuyant dans le marais. Répondez-moi, John. Si une folle, vêtue de loques et menant grand tapage, traversait la cour au pas de course, comment réagiraient les hommes de garde à la grille ?

— Ils vous pourchasseraient et vous pinceraient avant que vous ne soyez parvenue de l'autre côté.

— Mais, ce faisant, ils abandonneraient leur poste. Pendant qu'ils seraient après moi, vous pourriez vous faufiler au-dehors en longeant le mur et soulever la barrière ?

— En effet, mais le risque est trop grand. Je ne vous ai pas libérée de cette tour pour vous mettre entre les mains de Clara.

— Pensez aux hommes qui attendent dehors.

— Il faut que je pense aussi à vous. Et au fait que, en ce qui les concerne, l'important est de prouver votre titre. A la longue, tant que Donald restera marquis de Kheilleagh, il n'en résultera rien de bon pour eux.

— Mais enfin, John...

— Non.

Il était résolu, et elle ne l'en ferait pas démordre. Elle se jeta dans ses bras et il la serra contre lui, disant :

— Il faut partir d'ici où nous sommes trop exposés.

— Très bien, fit-elle, lui caressant le dos au travers de ses vêtements. Puis-je d'abord jeter un coup d'œil au-dehors ? Je peux éventuellement voir un détail que vous n'avez pas remarqué ?

— Si vous le voulez, rétorqua-t-il, un peu vexé.

Elle entrebâilla légèrement la porte, vit une partie de la voûte, sous laquelle deux hommes discutaient. Prenant son souffle, elle écarta largement le battant et s'élança sur les pavés.

John saisit le bout de sa robe, mais elle réussit à lui faire lâcher prise. Elle poussa un hurlement sauvage, quelque chose dans le genre de ce que l'on aurait pu attendre de la part d'une folle en fuite. Il n'y avait rien dans la cour, sinon la statue de l'ours.

Bella avait compté sur le bon sens de John — s'il courait à sa suite, tout était perdu. Ses pieds souffrirent sur les pavés, mais des cris retentirent derrière elle, ainsi que le claquement métallique de bottes de quelqu'un qui courait. La jeune fille fonça à l'opposé de la grille, vers l'angle nord-est, mais un homme en uniforme surgit de ce côté et s'avança vers elle. Bella obliqua. Poursuivie de deux côtés, n'ayant plus le choix, elle piqua vers le centre et la statue.

Les hommes la happèrent dans l'ombre même de l'ours. Elle se tordit la cheville sur un pavé, ressentit une douleur atroce, mais, tandis qu'elle continuait sa course, une main rude la saisit par le bras, une autre par les cheveux. Une voix hurla à proximité :

— Attention qu'elle ne te morde pas, Marty ! Les morsures d'une folle sont plus empoisonnées pour l'homme que celles d'un chien enragé. Tiens-la solidement !

On lia brutalement les bras de Bella. Celui qui l'avait empoignée par les cheveux lui tira si fort la tête en arrière qu'elle lâcha un cri. Et il lança, d'une voix qui contrastait par l'étrange compassion qu'elle recelait :

— Dieu nous aide dans ce malheur et cette maladie qui touchent une créature aussi belle et aussi fraîche celle-ci. Car c'est vraiment terrible !

Lui-même était jeune, avec un visage lisse, celui d'un simple garçon d'écurie. Mais quelqu'un s'approcha, un visage qu'elle connaissait et haïssait en le redoutant :

— Tu as bien fait de l'arrêter, déclara Purdy. J'aimerais savoir comment elle a pu s'échapper de l'endroit où on l'avait enfermée.

Il souriait à présent — présentant un masque grimaçant. Mais, au même instant, l'un de ses hommes lança un avertissement :

— La grille !

Malgré la douleur, Bella se tortilla pour regarder. Une foule, avec John à sa tête, franchissait la porte, pénétrait dans la cour. Les mains qui retenaient la jeune fille la libérèrent. Partout, les hommes du marquis s'éparpillèrent. Purdy, en revanche, agrippa Bella et se mit à courir en l'entraînant. Elle se débattit, lutta contre lui, de toutes ses forces, lui martela le visage à coups de poing. Finalement, constatant que les gens de Kheilleagh allaient le rejoindre, il la lâcha et fila. Mais, pour lui, c'était trop tard. John, dans un plongeon, tomba sur lui...

## CHAPITRE XXV

Dans le grand salon, ils tombèrent sur le marquis et sa femme.

— C'est fini, Donald, nous tenons le château.

Le marquis, qui s'était levé pour regarder par la fenêtre, pivota sur les talons :

— Pour le moment, c'est possible, persifla-t-il, méprisant. Mais, d'ici à une heure ou deux, les troupes seront là, vous et vos rebelles, vous comprendrez alors mieux la situation. Par rapport à la justice, vous êtes personnellement un fuyard et, dès ce soir, vous serez interné dans les geôles de Westport. Quant au reste de cette racaille...

— Personne n'enverra en prison un homme qui avait été faussement accusé, rétorqua John. Et le mensonge est flagrant — c'est Purdy, non un des membres de la confrérie, qui a écrit cette lettre, il le reconnaît lui-même.

— Sous la contrainte, intervint la marquise, dure et insolente, mais il le niera.

— Si vous êtes en état de le convaincre, certainement, Clara, mais ce ne sera pas le cas, objecta John en souriant. Vous serez personnellement accusée et condamnée pour séquestration et agression commises contre mademoiselle Harley ici présente.

— Pour cette affaire, parlons plutôt de la mise à l'abri d'une démente. Ne vous a-t-on pas raconté qu'elle avait tenté de se noyer dans le marais ?

— Au fait, déclara John après une pause, je viens de commettre une erreur en faisant allusion à mademoiselle Harley. J'aurais dû la désigner sous son véritable nom d'Arabella, marquise de Kheilleagh. Ce qui place les faits sous une perspective différente, n'est-ce pas ?

— Une perspective qui serait autre si votre protégée peut prouver son identité et la réalité des faits. Puisqu'elle en est incapable, cela prouve seulement qu'elle est aussi folle que l'était son père.

— Elle peut apporter une preuve.

John s'exprimait avec confiance, mais la marquise riposta avec autant d'assurance.

— J'ai vu Bannion. Il a tiré la vérité d'O'Flinn avant que celui-ci ne déguerpisse. Il n'existe aucune preuve. Il s'efforçait d'en établir une dans l'espoir d'un accord amiable. Il a finalement admis que c'était sans espoir, et il a conseillé à mademoiselle Harley d'arrêter les frais et de rentrer en Angleterre... Le nierez-vous ? dit-elle à l'adresse de Bella.

— Absolument pas.

— Mais, vous oubliez Haggerty, s'entremit John. Lui peut fournir des éléments de preuve, sinon des preuves. Vous ne l'auriez pas forcé à partir s'il n'avait constitué une menace pour vous.

— Le croyez-vous ?

— J'en suis persuadé, affirma John, encore que troublé par le ton calme de la femme.

— Cela non plus, on ne le saura pas, pauvre Haggerty !

— Je le retrouverai.

— Oh ! j'en doute ! s'écria la marquise, gracieuse. En fait, je vous aiderai dans vos recherches. Vous le découvrirez au cimetière de Castlebar. D'accord, il a toujours été ivrogne, et il est parti plus riche qu'on n'aurait pu l'imaginer. Nous ne manquons pas de générosité, même à l'égard d'un domestique qui a été remercié pour calomnie à l'égard de la famille. On l'a découvert mort dans un fossé en dehors de la ville ; il y gisait depuis plusieurs jours. On pense qu'il s'était saoulé et qu'il avait reçu un mauvais coup sur la tête au cours d'une bagarre.

— Comme a été tué le père de Bella ? grinça John.

— Harley a été frappé par un rondin bousculé par le vent, non ? Et je n'ai jamais entendu dire qu'il était ivre à ce moment-là.

La nouvelle de la mort d'Haggerty avait déconcerté le jeune homme, Bella s'en aperçut, mais il se ressaisit vivement. Ignorant l'ironie de la marquise, il continua :

— Vous maquillez bien vos crimes, Clara, quand vous avez le temps de les prévoir et de les concevoir. Mais, l'un d'entre eux s'est produit à l'improviste. Purdy nous a montré le cadavre de Billy qu'il a, sur vos recommandations, dissimulé dans les caves. Pour Billy, personne ne croira qu'il a été victime du vent ou d'un coup maladroit porté pendant une querelle.

— Ah ! j'ignore tout de ceci ! fit-elle, haussant les sourcils. Purdy vous a montré son corps, dites-vous ? C'est peut-être alors que Purdy est lui-même l'assassin.

— Bella était présente lors du meurtre, ce qui fait apparaître les choses sous un jour différent.

— Du moins se l'imagine-t-elle, voulez-vous dire. Tout comme son père et elle se sont figuré qu'il y avait eu un mariage qui n'a jamais été célébré. Ou comme elle a cru voir apparaître devant elle un farfadet brandissant une bague d'or tandis qu'elle courait dans le marais. Non, décidément, son témoignage ne vaut rien.

— Vous êtes tenace et pleine de ressources, Clara, je vous l'accorde. Vous sauveriez Donald aux dépens de Purdy si vous le pouviez. Vous seriez même capable de pousser Purdy à faire une fausse déclaration ou de faux aveux. Mais, l'homme a parlé de lui-même, et il a fait plus encore. Il a conservé la chemise et la veste que Donald portait, sans les laver. Le sang sur les manches illustre sa version.

— Vous avez la chemise..., fit la voix froide de la marquise. Voilà qui change tout.

— Clara...

C'était un enfant qui geignait par la voix d'un homme, un enfant effrayé qui appelait au secours. Sans se soucier de son mari, la marquise dit à Bella, d'un ton arrogant :

— Laissez-moi vous précisez un point, mademoiselle Harley. Même si mon mari est accusé du meurtre de son frère — même si on le pend — vous n'obtiendrez rien. Je resterai marquise de Kheilleagh. Et mon enfant prolongera la lignée de Kheilleagh, tandis que vous demeurerez ce que vous êtes : une anonyme sortie du néant.

Bella scruta le corps mince que moulait une toilette ajustée. Mais ce fut le marquis qui prononça d'un timbre rauque :

— Un enfant ! Quel enfant ?

— Je te réservais la nouvelle pour une meilleure circonstance, Donald. Oui, c'est vrai, je suis enceinte ; cela ne se voit pas encore, mais c'est certain. Quoi qu'il arrive, la lignée des Malindine continuera.

— Non ! hurla-t-il, c'est impossible ! Parce que, reconnais-le, depuis quand m'as-tu interdit de te toucher ?

— Ce n'est pas un sujet à discuter en public, répliqua-t-elle sans s'émouvoir. Tu te laisses aller, mon cher, et cela depuis quelque temps. Tu raffoles tant de ce petit vin blanc que tu ne sais plus ce qui se produit quand tu as bu. Ton enfant te succédera — et c'est tout ce qui compte... Le marquis de Kheilleagh, né en toute légitimité, ajouta-t-elle à l'intention de Bella. A moins que ce ne soit une marquise.

Sur le visage du marquis, Bella constata que, peu à peu, la vérité se faisait jour. L'expression de l'homme se durcit, son corps se raidit, de la même façon que lors du meurtre de Billy. Bella se dit que le marquis allait tuer sa femme tant la provocation était intense et la blessure à son orgueil intolérable.

Mais la marquise ne manifesta aucune peur. Elle fixa son mari en souriant — et le sourire s'élargit lorsque l'homme desserra les poings et, les bras ballants, se mit à sangloter. La marquise se tourna alors vers Bella :

— Vous avez perdu tandis que j'ai gagné, mademoiselle Harley.

## CHAPITRE XXVI

Les troupes arrivèrent au début de l'après-midi. Elles étaient constituées par une compagnie sous le commandement d'un certain major Redgrave, un petit homme tiré à quatre épingles dont le visage, froid et plutôt sévère au repos, devenait juvénile lorsqu'il souriait. Redgrave fut soulagé de ne pas avoir à réprimer un soulèvement et disposé à admettre la version des événements telle que la lui rapporta John.

Maintenu à l'écart de la marquise, Purdy reconnut le rôle qu'il avait joué dans la lettre qui avait été truquée pour compromettre John et dans le transport du corps de *lord* William en son lieu actuel de repos. Il n'accusa de rien la marquise, et Bella se dit qu'il ne le ferait jamais. Elle avait sur lui une grande influence qui ne ferait que s'accentuer lorsqu'il apprendrait qu'elle était enceinte. Il prétendit ne rien savoir de la mort de Harley et de Haggerty, espérant, probablement qu'une confession complète à propos d'accusations secondaires lui épargnerait d'autres accusations risquant de l'amener à la pendaison.

Son innocence admise, John put parler en faveur de la population de Kheilleagh. Il insista sur le fait qu'ils n'avaient causé aucun réel dommage — il n'y avait que deux ou trois blessés de chaque côté, pas de morts — et qu'ils étaient prêts à retourner tranquillement chacun chez soi. Il suggéra qu'un avertissement sévère suffirait vraisemblablement à les faire rentrer dans l'ordre et à ramener l'autorité de la reine dans cette région éloignée de son royaume.

Et comme Redgrave taquinait sa moustache au-dessus de sa lèvre mince, il ajouta que, si ces gens étaient actuellement paisibles, il se pourrait qu'il en aille différemment si l'on tentait de les mater plus brutalement. Le château avait été rendu à l'armée, mais qui pouvait savoir ce qui se produirait si le peuple avait l'impression d'être trahi ? Dans ce cas, on pouvait presque de manière certaine prédire qu'il y aurait effusion de sang.

Redgrave s'assombrit mais pria John de réunir les rebelles dans la cour du château. Il les harangua pendant un quart d'heure, usant d'un ton haut perché, vif, sec — mais Bella eut le sentiment que sa tirade fut peu comprise. Elle-même n'en saisit qu'une succession de mots clefs du genre : autorité, bon ordre, Sa Majesté bien-aimée, paix sur la terre, prononcés avec emphase. Lorsqu'il eut terminé son discours, les autres le considérèrent avec froideur, plus décontenancés qu'hostiles. Et ce fut John qui, au côté de Redgrave, leur cria :

— Hourra pour la Reine, messieurs, puis rentrez chez vous ! Et voici cinq souverains pour boire à la santé de la Reine en chemin !

Il leur lança une poignée de pièces de monnaie que les autres firent rapidement disparaître. Le héros au bras en écharpe lança le hourra auquel, à trois reprises, ses compagnons répondirent avec enthousiasme. Après quoi, ils filèrent en hâte vers la grille principale.

— Vous tenez Purdy ? s'enquit John.

— Sous bonne garde, rassurez-vous, s'écria Redgrave, tout guilleret en voyant les hommes de Kheilleagh faire retraite. Quand on sait les manipuler, ces gars-là, on en fait ce qu'on veut au fond !

— Et le marquis, que va-t-il lui arriver ?

— Là, c'est plus délicat, à cause de son rang, avoua le major en tortillant sa moustache. Beaucoup plus délicat même. A son propos, il me faut des ordres supérieurs si vous saisissez ce que je veux dire. J'ai envoyé un télégramme à la brigade à Galway on va attendre les instructions.

— Et entre-temps ?

— Je l'ai prié de ne pas quitter ses appartements, et il a accepté. Un homme monte la garde devant sa porte, par mesure de sécurité.

— Et la marquise ? fit observer Bella.

— On n'a rien contre elle, n'est-ce pas ? A moins que vous ne déposiez personnellement une plainte ?

Ils en avaient discuté, John et elle. Le jeune homme penchait pour la plainte, mais Bella s'y était opposée. Sur le plan criminel, rien ne pourrait être prouvé quant à la complicité de la marquise et de Purdy. Bella avait d'ailleurs surtout envie d'oublier ces êtres malfaisants ainsi que les événements des derniers jours.

— Non, répondit-elle, je me demandais seulement si elle partageait la réclusion de son mari.

— Non, le marquis ne semblait pas y tenir, expliqua le major.

Seules quelques bêtes paissaient sur le flanc de la colline quand John et Bella descendirent en direction de la ville. La journée était pourtant belle, sous un soleil haut et chaud, mais une fois de plus, les nuages s'accumulaient à l'ouest. Il pleuvrait probablement d'ici à la tombée de la nuit.

Bella s'était baignée et changée — déjà rafraîchie et ragaillardie par le fait d'être sortie du château. Marchant main dans la main avec John, elle se sentait follement heureuse. A Kheilleagh, ils trouveraient un moyen de transport pour se faire conduire à *Gillis House* — pour la suite, ils n'avaient ébauché aucun plan, et la jeune fille n'en éprouvait pas la nécessité. Après les malheurs et les horreurs qu'elle venait de subir, l'avenir ne pouvait à ses yeux que lui offrir le bien-être.

Elle étreignit les doigts de John, pensant à *Gillis House*, aux sœurs du jeune homme avec qui elle aurait plaisir à bavarder, à John qui l'aimait et qu'elle aimait. Autant ce qu'elle venait de vivre avait été hideux, autant ce qu'elle connaissait à présent était merveilleux au-delà de toute imagination.

Une brise plus forte balaya les rangées de lupins et, plus loin, les fleurs blanches des pommiers sauvages.

— Je me refuse à céder, déclara brusquement John.

— De quoi parlez-vous ?

— Du titre qui vous revient de droit.

— Il est possible que j'y aie droit, riposta-t-elle en riant, mais rien ne le prouve. D'ailleurs, ils peuvent le conserver, car je n'en veux pas... Non, ne dites rien, John, s'empressa-t-elle d'ajouter en lui posant sa main sur les lèvres. Ne discutons pas des droits de la famille ainsi que des obligations familiales. Je suis une Hooley autant qu'une Malindine, et fière de l'être. Plus fière encore peut-être à cause de ce que j'ai appris ces derniers jours.

— Peut-être, mais cela ne supprime pas vos obligations de l'autre côté ; d'accord ? Il n'y a sans doute plus de Hooley à Kheilleagh, mais vous découvrirez de nombreux cousins. Les gens ont depuis des siècles souffert de l'oppression du château. C'est un état de choses que votre grand-père aurait changé, car il était réputé pour sa bonté — mais il est mort avant d'avoir pu y réussir. Quant à Clara, je vous le garantis, elle sera beaucoup plus dure et autoritaire que Donald. Il se peut qu'elle perde Purdy, mais elle dénichera quelqu'un de plus terrible, je lui fais confiance !

L'herbe était d'un vert étincelant alentour ; les pierres luisaient, éclatantes de blancheur sous le soleil. John se pencha pour cueillir un brin d'herbe.

— Elle prétend attendre un enfant qui continuera la lignée, dit-il. A cause de cet enfant, elle se montrera plus rapace que jamais, affirma-t-il en mâchonnant le brin d'herbe. Je ne crois pas qu'elle ait menti à propos de cette grossesse.

Bella partageait cette opinion. Elle se rappelait l'éclat du marquis, puis sa résignation, et le calme mépris de la marquise. Elle se souvint de l'intimité choquante qui teintait cette conversation qu'elle avait surprise entre la marquise et Purdy. Cela, en racontant son histoire à John, elle l'avait omis et elle se refusait à en faire état maintenant, mais elle était convaincue que l'héritier de Kheilleagh ne serait pas du sang des Malindine.

Cependant, cela ne signifiait rien pour elle, de

même que cela ne représenterait rien, elle le craignait, pour la population de la région.

— Peut-être que ce ne sera pas si mal, dit-elle. Les gens ont appris à se défendre eux-mêmes, ils viennent d'en faire la démonstration, non ?

— Ils n'iront pas loin contre la puissance des armes et de la fortune.

— De toute façon, en ce qui concerne le titre, personne ne peut quoi que ce soit. Haggerty était le seul être qui pourrait nous faire des révélations, et il est mort... Oh ! John, pensez plutôt à ce qu'il y a de bien ! Nous sommes libres et vivants, et je vous aime.

— Dieu merci, nous avons tout cela ! s'exclama-t-il en lui souriant.

En ville, régnait une atmosphère de joie. Bien que la victoire fût toute provisoire, ainsi que l'avait prophétisé John, les gens de Kheilleagh étaient déterminés à en tirer le maximum Hommes, femmes, enfants, chiens et ânes avaient pris une expression de fête. Le père Carthy lui-même arborait pour la première fois un large sourire, et sa soutane maculée flottait gaiement au vent. Devant les pubs, on voyait de petits groupes d'hommes qui, verre en main, bavardaient bruyamment. On accueillit John et Bella par des saluts chaleureux.

Le vin laissait deviner leur amour et leurs fiançailles. Bella rougit et rit en répondant aux toasts de santé et de bonheur qu'on leur porta, ainsi qu'aux souhaits de former une nombreuse famille.

L'un des plus tonitruants fut sans conteste un homme à la toison blonde et à la jambe de bois. Celui-là saisit la jeune fille par sa manche et s'embarqua dans une fable interminable sur la manière dont il avait, par la faute des gens du château, perdu sa jambe.

— Calme-toi, Benny, dit John, venant à la rescousse de Bella. Et contente-toi de la vérité. Si tu avais encore ta jambe, tu ne serais qu'un paysan, alors que tu es actuellement le meilleur artisan du pays pour réparer montres et pendules.

— Ah ! c'est vrai, Votre Honneur ! Tout de même..., j'étais autrefois le meilleur danseur de toute l'Irlande, non ?

— Je l'ai, en effet, entendu dire ! s'écria John dans un grand rire. Mais, on prétend que tu étais meilleur encore avec une bonne ration de malt... Ah ! Bella, j'y pense, voulez-vous lui montrer votre médaillon brisé ?

Le sortant de sa poche, elle tendit l'objet. Benny se vissa une loupe à l'œil et étudia le médaillon.

— Ce n'est pas grand-chose. Si la jeune dame veut bien patienter quelques instants, je vais aller à mon établi pour réparer ce bijou.

Bella était en Irlande depuis assez longtemps pour juger d'une telle promesse quant au temps. Elle considéra John, sceptique ; il insista :

— Vous pouvez lui confier le médaillon. A moins que vous ne préfériez que nous ne revenions une autre fois ?

— Euh !... oui, je ne tiens pas à m'en séparer aujourd'hui ! avoua-t-elle, tendant la main vers le bijou.

Benny fourrageait du petit doigt dans l'objet.

— Il a besoin d'une réparation, c'est sûr. Avec le coup qu'il a reçu, le petit portrait a presque glissé hors de son logement.

Tout en parlant, il dégagea le portrait. Bella l'observa avec répugnance, mais Benny, élevant le portrait en l'air, la rassura :

— Ne vous inquiétez pas, madame... Ah ! regardez donc ! Il y avait autre chose caché derrière.

Dans l'orifice que masquait le portrait, il y avait un morceau de papier que Benny retira du bout de son ongle. Après l'avoir regardé faire, John ordonna sèchement :

— Donne !

Avec soin, John acheva de déplier le papier et, la voix rauque d'émotion, lança :

— C'était évidemment sa cachette ! Ce document faisait partie du trésor de votre grand-mère bien qu'on lui eût volé ses droits et qu'on l'eût dupée.

Le papier était à la fois imprimé en rouge et écrit en marron, d'une encre passée. John lut lentement :

*Mariage célébré à l'église de la Sainte-Trinité, dans la paroisse de Lambeth, appartenant au comté de Surrey, entre Ronald Percival de Beauchamps Malindine, plus connu sous le titre de comte de Westport, adulte, célibataire et gentilhomme, et Mary Hooley, célibataire...*

Un nuage avait assombri l'atmosphère au-dessus d'eux pendant que John ouvrait le document. Bella avait deviné ce qu'était ce papier dès l'instant où elle l'avait vu. Il n'y avait plus de discussion possible, ni sur son existence ni sur sa signification. Le château entre autres choses. Ce bâtiment lui inspirait plus que jamais haine et répulsion non pas en raison de ce qui s'y était récemment produit, mais à cause de tout ce que des générations de Hooley avaient souffert dans son ombre, avant que la dernière d'entre eux eût, à cause de l'amour, souffert d'un terrible abandon et de l'exil. Bella pourrait-elle supporter tout cela, même avec John à ses côtés ?

Un cri s'éleva de la foule qui les cernait.

— Regardez là-haut ! O Sainte Mère de Dieu !

Le château des Malindine se dressait comme toujours sur son éminence, baignée par les derniers rayons de soleil parce que les nuages venant de l'est ne l'avaient pas encore atteint. Puis Bella vit ce que désignait l'homme — une épaisse fumée jaillissait d'une des fenêtres et allait croissant. Les nuages s'en emparèrent, et une ombre dense s'abattit sur le château que léchaient à présent des flammes rosées.

— Cette fenêtre est celle du bureau de Donald, expliqua John.

— La pièce où on l'avait enfermé ?

— Oui. J'avais signalé à Redgrave qu'il fallait le surveiller, mais ils l'ont tout de même abandonné à son sort. Et il a fait ce que sa malheureuse mère avait autrefois tenté et raté — il a mis le feu au château. Et s'il a bien manigancé son coup, on aura du mal à venir à bout de l'incendie.

Les gens de Kheilleagh célébrèrent l'embrasement, cependant que les flammes prenaient de l'extension.

## EPILOGUE

Au bout de douze ans, Bella n'était pas encore habituée aux pluies du comté de Mayo. Et lorsque, en été, le temps se mettait au beau après d'interminables ondées, on éprouvait comme Bella l'envie irrésistible de sortir et de profiter de cette bénédiction tant qu'elle durait. La solution évidente était un pique-nique — et par ce clair matin, les enfants se précipitèrent pour quémander cette faveur qu'elle était toute prête à leur accorder.

Dans ces cas-là, c'était vite fait. La cuisinière préparait un panier avec deux poulets, quelques tranches de jambon et de gigot de mouton, de la salade de pommes de terre et de laitue assaisonnée de mayonnaise, de la bière pour John s'il était de la fête, de la citronnade pour les autres. Ce jour-là, John faisant partie de l'expédition, on mit le panier dans la charrette anglaise, et la famille partit sans être accompagnée de domestiques.

Une silhouette s'avança, trébuchante, vers eux, et salua lorsque la charrette se fut rapprochée. C'était le facteur, et John s'arrêta près de lui pour vérifier s'il y avait du courrier à son adresse. Il reçut deux lettres d'affaires et une pour Bella, laquelle poussa une exclamation de plaisir en reconnaissant l'écriture de Constance.

— Voilà de quoi occuper ton après-midi ! railla John. Elle est encore plus bavarde sur le papier qu'en paroles !

Mariée à un propriétaire terrien de Kerry, Constance vivait dans le Sud. Elle parlait volontiers de ses deux enfants, sans oublier une foule de parents et de voisins dont elle détaillait tous les gestes avec une affection vaguement malicieuse. Actuellement, elle avait également près d'elle Maud qui était venue l'aider à veiller sur les enfants, Constance attendant une troisième naissance d'ici à deux mois. Maud allait bien, mais, toujours selon sa sœur, elle gâtait outrageusement les petits.

Tout comme elle le faisait à *Gillis House*, se dit Bella. Celle-ci s'inquiétait parfois à propos de Maud qui, pourtant, s'installait tranquillement dans son célibat, sans regret apparent, bien qu'elle raffolât de la famille et des enfants.

— Tiens ? il y a des nouvelles de Clara ? fit-elle à son mari. Quelqu'un l'a rencontrée en France. Elle va se remarier avec un certain comte de Brige.

— Pauvre malheureux homme, je lui souhaite bien du bonheur !

— Finalement, elle aura le titre auquel elle tenait tant !

— Oui, mais qu'est-ce que la comtesse de Brige en face de la marquise de Kheilleagh ? riposta John en souriant.

— Il y a peu de justice dans cette vie, n'est-ce pas ? murmura-t-elle. Donald a péri dans l'incendie qu'il avait allumé et elle, de beaucoup la plus cruelle et la plus dangereuse, elle s'épanouit dans l'opulence et le bonheur. On la décrit, paraît-il, comme d'une beauté éblouissante.

— Il faut aussi qu'elle vive avec sa mauvaise conscience, et c'est énorme.

— Il est aussi question de sa fille... *Une très belle enfant, mais très étrange,* dit la lettre de Constance.

— Elle a de quoi être bizarre, avec une mère pareille...

Le regard de Bella s'arrêta sur Lucy, sa petite fille de sept ans qui, avec ses taches de rousseur et ses dents absentes, n'était pas vraiment belle, bien qu'elle promît d'être une authentique Hooley. Mais, cette enfant-là était une fillette saine, heureuse, aimée et aimante.

Ils atteignirent les abords de Kheilleagh, à proximité du presbytère où Dennison veillait toujours sur son maigre troupeau de paroissiens, tandis que sa femme se préoccupait de la mode et des réclames de médicaments parues dans *Illustrated London News.* Le pont franchissant la rivière était à peu près en bon état, mais, au-delà, la route avait été trop détériorée pour permettre le passage sûr du cheval et de la voiture. Les Dungillis empruntèrent donc la voie la plus longue, à travers la ville.

C'était habituellement l'occasion des salutations diverses, et John s'arrêta à trois reprises pour échanger quelques mots avec des locataires de Kheilleagh. Tous semblaient beaucoup mieux qu'autrefois ; la ville elle-même avait revêtu un air pimpant de peinture fraîche et de bâtiments nouveaux. Macloig, un homme affable et remuant, y veillait, sous les directives de John, quand il se produisait quelque chose d'important. Une fois son droit au titre prouvé, le premier geste de Bella avait été de réduire les loyers de moitié, ce dont le peuple la bénissait encore que, actuellement, le geste parût plutôt machinal.

Comme ils quittaient la ville, le petit cheval mit ses efforts à attaquer la pente.

— Ils seront trop prospères et satisfaits pour se joindre à la révolution quand l'heure sera venue de rejeter le joug anglais, observa la jeune femme.

C'était entre eux une vieille plaisanterie, et John ébaucha un sourire :

— Je suis moi-même trop à mon aise, admit-il. D'ailleurs, peut-être n'aurons-nous pas besoin d'une révolution pour qu'on nous accorde l'autonomie.

— Tu y crois sincèrement ?

— Non. Hue dia !... Je n'y crois pas, mais je ne vais pas me morfondre par une belle journée comme celle-ci.

Parvenus à destination, ils mirent pied à terre, et John détacha le cheval pour le laisser brouter en paix. Le soleil brillait sur le bétail qui paissait ; des papillons voletaient dans l'air tiède, et la ville de Kheilleagh somnolait en contrebas. Derrière les Dungillis se dressaient les ruines du château des Malindine.

Le château avait donc été abandonné à ses ruines, et la présence aujourd'hui des Dungillis apportait à l'ensemble un regard amical. Les enfants, John, Lucy et le minuscule Patrick galopaient jusque dans la cour qu'envahissaient les herbes, les fleurs et quelques buissons. Des branches hautes cachaient derrière les fenêtres le désert qui régnait à l'intérieur.

Au centre de la cour, la statue de l'ours s'imposait, verdie par le lierre qui la rongeait, ne laissant libres que le haut de la harpe et la tête de l'animal. Un ours vert, un ours irlandais à présent, une silhouette drôlatique.

Rien n'exprimait plus la peur ni la menace de mort, rien sinon les prémices du temps de la mort. Tout le mur nord s'était pratiquement écroulé, et les villageois s'étaient emparés des pierres pour s'en servir ailleurs. Des corbeaux nichaient dans les tours — l'un d'eux tournoyait justement en criant de sa voix rauque et pourtant réconfortante.

Bella pouvait regarder la tour sans frémir. Le bonheur et la sécurité, le confort du mariage et du foyer, rejetaient à l'arrière-plan les mauvais souvenirs. Hier, soit douze ans auparavant, c'était l'emblème de la terreur et du mal. Aujourd'hui, c'était devenu le lieu d'élection pour le pique-nique des enfants.

Ils se trouvaient à côté de la porte par où elle avait fui pour faire diversion, alors que les hommes du marquis hurlaient à sa suite. Il n'y avait évidemment plus de porte, et le couloir s'ouvrait, vide. Bella regardait à l'intérieur quand la main de John étreignit son épaule. Elle se tourna pour le dévisager avec surprise et, définissant le fond de ses intentions, elle secoua la tête.

— Les enfants, John...

— Ils sont heureux et à proximité. Il ne leur arrivera rien si on les perd de vue quelques moments.

Il entraîna la jeune femme dans les ruines et l'enserra de ses bras. D'abord indignée, elle s'en amusa vite. Et elle se sentit divinement heureuse lorsqu'il pressa ses lèvres sur sa bouche : oui, Dieu, ils étaient bien vivants !

FIN

Achevé d'imprimer
le 5 septembre 1978
sur les presses
de l'imprimerie Cino del Duca,
18, rue de Folin, à Biarritz.
N° 517.